Parques Nacionales de

PANAMA

National Parks

FOTÓGRAFOS-PHOTOGRAPHERS

J. Andrada; G. M. Azumendi; Luis B. Aritio;
J. A. Fernández; H. Geiger; J. Hidalgo; A. Larramendi;
A. Ortega; A. Vázquez.

Alcántara, 11. 28006 – Madrid

Edita: *Ediciones Balboa,* Panamá
e-mail: edicionesbalboa@cableonda.net

Realización: *Ediciones San Marcos*
Producción: *Diego Blas Méndez de Vigo, Teresa Solana*
Documentación gráfica: *Luis Blas Méndez de Vigo*
Diseño: *Alberto Caffaratto*
Traducción: *Lesley Ashcroft*

Fotomecánica: *Cromotex*
Impresión: *Jomagar*

I.S.B.N.: 84-89127-22-0
Depósito legal: 29.958-2000

Parques Nacionales de
PANAMA
National Parks

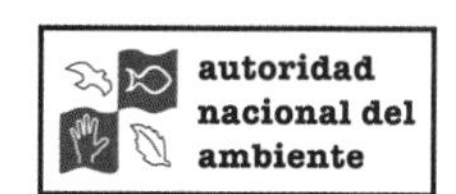

• CONTENIDO •

• CONTENTS •

• PRÓLOGO •

LA NATURALEZA NO TIENE FRONTERAS. Los ecosistemas desbordan los límites políticos de los países para transformarse en un patrimonio común de toda la humanidad. Así, a las aves, que en sus largos periplos migratorios no sólo van de un país a otro sino que a veces lo hacen de un continente a otro, no se les puede atribuir una nacionalidad.

Toda la naturaleza está interrelacionada. Por ejemplo, la influencia de los manglares en las cadenas tróficas de mares y océanos se siente a miles de kilómetros de distancia y la tala de un bosque tropical puede modificar el clima de toda la región circundante. La naturaleza, que se mantiene en un equilibrio inestable, es frágil por definición y la acción del hombre puede modificarla de una manera irreversible.

Panamá es un país privilegiado. Su estratégica situación sirviendo de puente de unión entre el dominio paleártico (América del Norte) y el dominio neártico (América del Sur) le convierten en un lugar de encuentro y en un sitio de paso. Bañado además por dos océanos, el Atlántico y el Pacífico, Panamá puede considerarse como un pequeño microcosmos.

La naturaleza panameña es la menos deteriorada de América Central. A comienzos del siglo XXI los panameños pueden sentirse orgullosos de su rico y variado patrimonio natural, al mismo tiempo que se enfrentan con uno de sus principales retos, la conservación de toda esta riqueza cuya joya es un sistema de parques nacionales gerenciado por la ANAM.

Al este del país, el Parque Internacional la Amistad, y al oeste, el Parque Nacional Darién han sido declarados por la UNESCO Patrimonio de la Humanidad por la excepcionalidad de sus recursos naturales. En el centro, en la Cuenca del Canal, cuatro parques nacionales aseguran el equilibrio hídrico de la región canalera, en especial del río Chagres, garantizando no sólo la diversidad biológica sino también el funcionamiento de la principal vía marítima interoceánica del mundo. En el Caribe, el Parque Nacional Bastimentos protege manglares y arrecifes de coral, mientras que en el Pacífico, el Parque Nacional Coiba y el Parque Nacional Cerro Hoya, conservan una parte importante del ecosistema pacífico panameño.

La ANAM, consciente de la responsabilidad que tienen todos los panameños, y también, los visitantes de estas áreas protegidas de conservarlas y respetarlas ha editado esta guía para facilitar la visita a estos espacios naturales protegidos con una sola finalidad; que cuando lo hagan disfruten y se enriquezcan con esta experiencia, procurando respetar la naturaleza al máximo, ya que forma parte del legado que tenemos obligación de dejar a las generaciones que nos sucedan.

Ingeniero *Ricardo R. Anguizola Morales*
ADMINISTRADOR GENERAL DE ANAM

• FOREWORD •

NATURE KNOWS NO FRONTIERS. Ecosystems extend beyond political borders to become the common heritage of all Humankind. Thus, birds that travel long distances, not only from one country to another, but sometimes from one continent to another, cannot be considered to belong to any one place.

The whole of the natural world is inter-related. The influence of the mangrove swamps on the food chains of the seas and oceans, for example, is felt thousands of kilometers away, and the felling of a tropical forest may alter the climate in the whole of the surrounding region. Held in an unstable balance, Nature is fragile by definition and human intervention can lead to irreversible changes.

Panama is a privileged country. Its strategic situation as a bridge connecting the Palearctic domain (North America) and the Nearctic domain (South America) makes it a meeting point and place of passage. Washed by both the Atlantic and the Pacific Oceans, it may be considered a microcosmos.

Panama's natural heritage is the least degraded in the whole of Central America. On the threshold of the twenty first century, although Panamanians can feel proud of their rich and varied natural heritage, they face one of their greatest challenges; namely, conserving all that natural wealth, the jewel of which is the national parks system managed by ANAM.

La Amistad International Park in the east and Darién National Park in the west have been declared part of the World Heritage by UNESCO for the exceptional quality of their natural resources. In the center, in the Canal Basin, four national parks guarantee the water balance in the Canal area, in particular the River Chagres, which ensures not only biological diversity, but also the operation of the world's main interoceanic waterway. In the Caribbean, Bastimentos National Park protects mangrove swamps and coral reefs, while in the Pacific, Coiba National Park and Cerro Hoya National Park conserve an important part of Panama's Pacific ecosystem.

Aware of the responsibility that all Panamanians and visitors have to conserve and respect the protected natural areas, ANAM has published this guidebook to facilitate their visits. The sole aim in doing so is for visitors to enjoy an enriching experience, while at the same time paying all due respect to the Nature surrounding them as it is part of the legacy that we are duty bound to pass on to future generations.

Eng. *Ricardo R. Anguizola Morales*
GENERAL ADMINISTRATOR OF ANAM

OCÉANO ATL

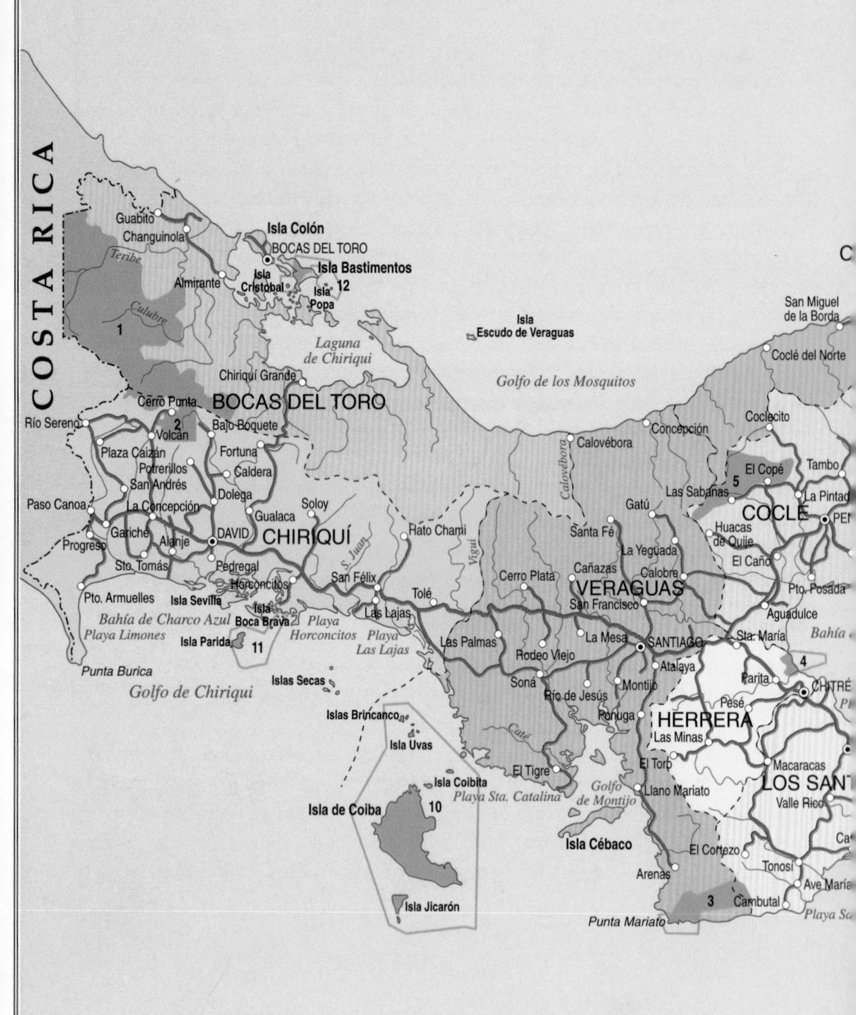

1.- Parque Internacional La Amistad
2.- Parque Nacional Volcán Barú
3.- Parque Nacional Cerro Hoya
4.- Parque Nacional Sarigua
5.- Parque Nacional General de División Omar Torrijos Herrera
6.- Parque Nacional Chagres
7.- Parque Nacional Soberania
8.- Parque Nacional Camino de Cruces
9.- Parque Nacional Altos de Campana
10.- Parque Nacional Coiba
11.- Parque Nacional Marino Golfo de Chiriqui
12.- Parque Nacional Marino Isla Bastimentos
13.- Parque Nacional Portobelo
14.- Parque Nacional Darlén

OCÉA

PANAMÁ

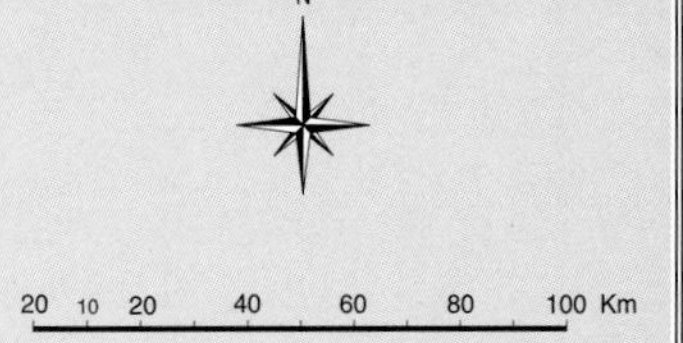
N
20 10 20 40 60 80 100 Km

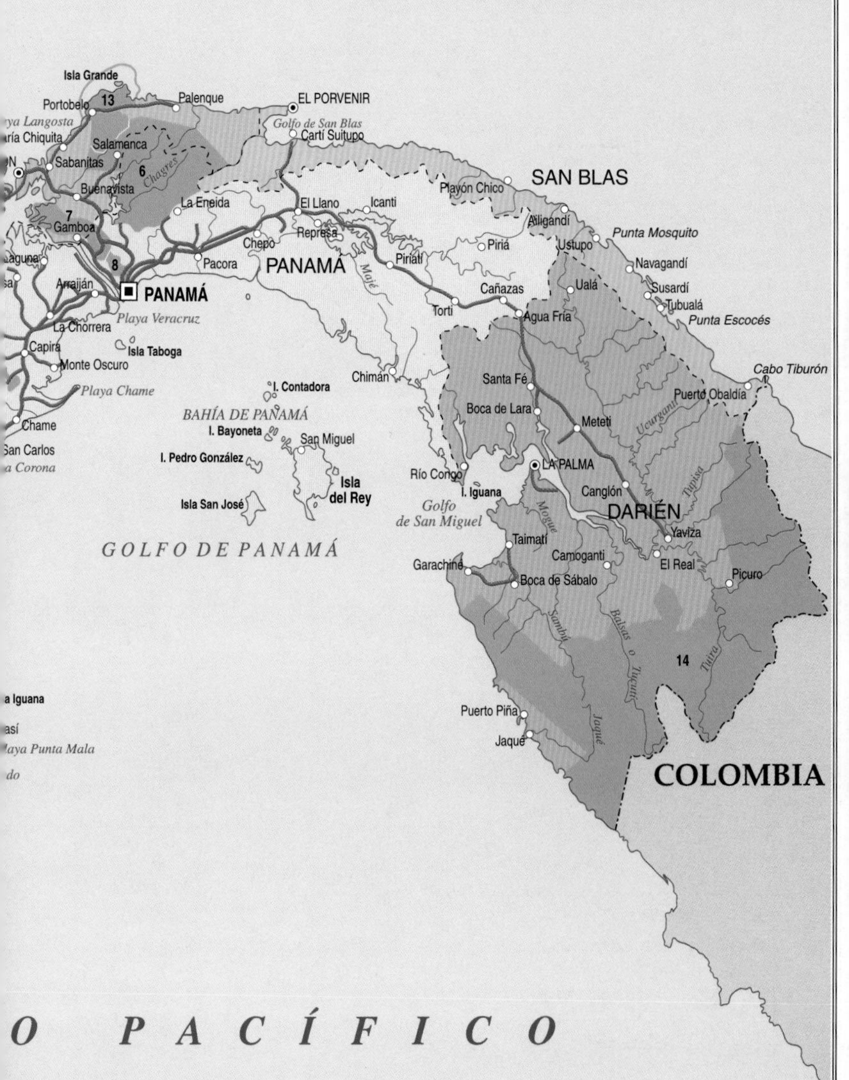
T I C O
Isla Grande
13
Portobelo
Palenque
EL PORVENIR
Golfo de San Blas
Cartí Suitupo
ría Chiquita
Salamanca
Sabanitas
6
Chagres
Buenavista
SAN BLAS
Playón Chico
La Eneida
El Llano
Icanti
7
Gamboa
Ailigandí
Punta Mosquito
Represa
Chepo
Piriá
Ustupo
8
Pacora
PANAMÁ
Piriatí
Navagandí
Arraiján
PANAMÁ
Majé
Cañazas
Ualá
Susardí
Tubualá
Playa Veracruz
Torti
Agua Fría
Punta Escocés
La Chorrera
Isla Taboga
Capira
Monte Oscuro
Chimán
Cabo Tiburón
Playa Chame
I. Contadora
Santa Fé
Puerto Obaldía
BAHÍA DE PANAMÁ
Boca de Lara
Chame
I. Bayoneta
Meteti
Ucurganti
San Miguel
San Carlos
I. Pedro González
LA PALMA
Río Congo
Isla del Rey
Tupisa
Canglón
I. Iguana
Isla San José
Golfo de San Miguel
DARIÉN
Mogue
Yaviza
GOLFO DE PANAMÁ
Taimatí
Camoganti
El Real
Garachiné
Boca de Sábalo
Picuro
Sambú
Balsas o Tucutí
14
Tuira
Puerto Piña
Jaqué
Jaqué
COLOMBIA
O P A C Í F I C O

• PARQUE INTERNACIONAL LA AMISTAD •

• Colibrí montañés gorgiblanco • White-throated mountain-gem

CREADO EN 1988 por una iniciativa de los gobiernos de Panamá y Costa Rica, el Parque Internacional La Amistad, conocido popularmente como PILA, se extiende sobre 207.000 hectáreas en los impresionantes macizos de la Cordillera Central, entre las provincias de Chiriquí y Bocas del Toro. Su importancia biológica ha motivado que en el año 1990 la UNESCO lo declarara Sitio del Patrimonio Mundial.

De origen volcánico, como lo atestigua la presencia de numerosas tobas volcánicas, el parque posee una complicada orografía con valles escarpados, grandes acantilados y con los picos más altos y espectaculares del país, entre los que destacan el cerro Fábrega (3.325 m), el cerro Itamut (3.279 m) y el cerro Echandi (3.162 m). El clima varía notablemente de unas zonas a otras del área protegida. Así, la temperatura media anual en sus altas cimas ronda los 15°C, mientras que en las planicies sedimentarias de la vertiente caribeña alcanza los 24°C.

• Cascada • Waterfall

La precipitación media anual oscila entre los 2.500 mm y los 5.500 mm, convirtiendo esta zona protegida en una de las regiones más húmedas del territorio nacional.

Los recursos hídricos del parque son enormes, protegiendo las cabeceras y cuencas altas de los ríos Teribe y Changuinola (el de mayor potencial hidroeléctrico de Panamá), así como las de los ríos Scui,

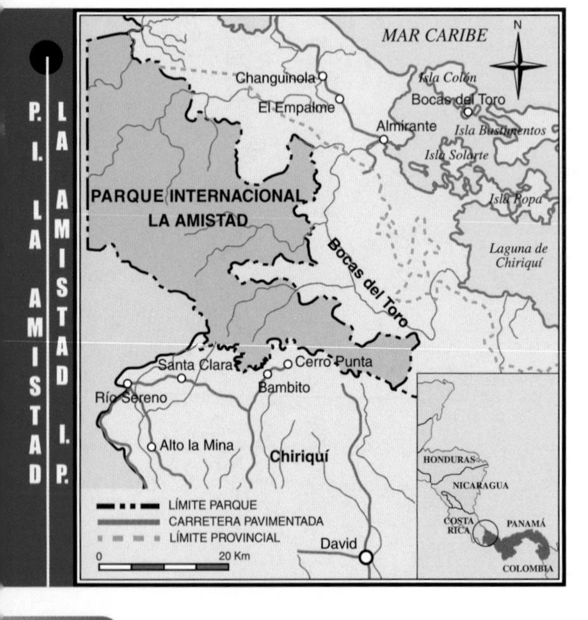

• LA AMISTAD INTERNATIONAL PARK •

• *Sendero del Retoño* • *El Retoño Trail*

CREATED IN 1988 on the initiative of the governments of Panama and Costa Rica, La Amistad International Park, popularly known as PILA, covers 207,000 hectares in the impressive massifs of the Cordillera Central between the provinces of Chiriquí and Bocas del Toro. Its biological importance led to its being declared a World Heritage Site by UNESCO in 1990.

The park is of volcanic origin, as evidenced by the many volcanic tors. Its orography is complex, with steep valleys, high cliffs and the highest and most spectacular peaks in the country, including the outstanding Cerro Fábrega (3.325 m), Cerro Itamut (3.279 m) and Cerro Echandi (3.162 m). The climate varies considerably from one part of the protected area to another. Thus, the average annual temperature on its high peaks is around 15°C while on the sedimentary plains of the Caribbean slope it reaches 24°C. Average annual precipitation ranges from

• *Águila harpía*
• *Harpy eagle*

• Planta epífita
• Epiphyte plant

Katsi y Uren, afluentes del río Yorkín y del río Sixaola, todos pertenecientes a la vertiente atlántica que es donde se encuentra la mayor parte de la superficie del área protegida. En la vertiente pacífica el parque protege las cabeceras de los ríos Cotón, Negro, Candela y Chiriquí Viejo.
La biodiversidad de La Amistad es increíble. Siete de las doce zonas de vida que se localizan en el Istmo se encuentran en el área protegida. En las planicies sedimentarias más bajas crecen los bosques muy húmedos premontanos que al ascender por la Cordillera Central se transforman en bosques muy húmedos tropicales, con ejemplares espléndidos de ceiba *(Ceiba pentandra)*, amarillo *(Terminalia amazonica)*, almendro *(Dipterix panamensis)* y maría *(Calophyllum longifolium)*, acompañados de abundantes palmas de los géneros *Socratea*, *Astrocaryun* y *Bactris*. Por encima se alzan

• • • INFORMACIONES PRÁCTICAS • • •

◆ **LOCALIZACIÓN:** EL PARQUE SE encuentra situado en las provincias de Chiriquí y Bocas del Toro y dista 480 kilómetros por carretera de la ciudad de Panamá.
◆ **ACCESOS:** EN DAVID, LA capital de la provincia de Chiriquí existe un aeropuerto internacional. Al parque se accede en vehículo a través de las poblaciones de Cerro Punta, Piedra Candela, Río Sereno y Boquete.
◆ **SERVICIOS:** EN LAS NUBES (Chiriquí) se encuentra la sede administrativa con un centro de visitantes, área para acampar y un sendero interpretativo. Existen refugios en Culebra y Cotito. En Teribe (Bocas del Toro) hay otra sede administrativa.
◆ **ALOJAMIENTO:** ADEMÁS DE EN la ciudad de David, puede encontrarse alojamiento en Cerro Punta y Boquete.
◆ **DIRECCIONES DE INTERÉS:** PARA CUALQUIER información dirigirse a la sede regional del ANAM en Chiriquí. Tel.: (507) 775-3163; fax: (507) 775-3163, o a las oficinas del parque en Boquete. Tel.: (507) 720-3057, o en Teribe. Tel.: (507) 758-8967.

• *Bosque virgen* • *Virgin forest*

2,500 mm to 5,500 mm, making this protected area one of the wettest regions in the country.
The park has enormous hydric resources, protecting the headwaters and upper basins of the rivers Teribe and Changuinola (the latter having the greatest hydroelectric potential in Panama), as well as those of the rivers Scui, Katsi and Uren, tributaries of the River Yorkín and River Sixaola, all of which lie on the Atlantic slope, which is where most of the park's land is situated.
On the Pacific side, the park protects the headwaters of

• *Sotobosque* • *Undergrowth forest*

• Sendero del Retoño • El Retoño Trail

los bosques pluviales premontanos, los bosques pluviales montanos bajos y los bosques pluviales montanos con ejemplares excepcionales de almendros *(Dipterix panamensis)*, bateos *(Carapa slateri)* y robles *(Quercus* spp.). Por último, el páramo pluvial subalpino se encuentra únicamente en los alrededores del cerro Fábrega. Las zonas más altas de la cordillera albergan árboles endémicos como *Cetronia grandiflora*, *Sourquia seibertii* y *Ardisia crassipes*. Si extraordinaria es su diversidad botánica más lo es aún su riqueza faunística. Se han censado unas 100 especies de mamíferos, entre los que se encuentran numerosos primates como el mono aullador *(Alouatta palliata)*, el mono araña colorado *(Ateles geoffroyi)*, el mono cariblanco *(Cebus capucinus)* y el mono nocturno o jujaná *(Aotus lemurinus)*. El parque protege poblaciones amenazadas de extinción del macho de monte o tapir *(Tapirus bairdii)*, de la ardilla saltadora de montaña *(Syntheosciurus brochus)*, del olingo *(Bassaricyon gabbii)* y de la musaraña *(Cryptotis endersi)*. También están aquí presentes las cinco especies de felinos que viven en Panamá.

• Orquídea • Orchid

Son 91 las especies de anfibios censados en el parque, entre ellas la rana arlequín *(Atelopus chiriquensis)* y el sapo espinoso *(Bufo coniferus)*.

Entre las 61 especies de reptiles se encuentra la espectacular salamandra pulmonada *(Bolitoglossa compacta)*, la mortal culebra

• Retoño • Young plan

• *Sendero La Cascada* • *La Cascada Trail*

the rivers Cotón, Negro, Candela and Chiriquí Viejo. There is incredible biodiversity in La Amistad. Seven of the twelve life zones that occur on the Isthmus are found here. On the lowest sedimentary plains, there are very moist premontane forests. Further up the Cordillera Central, they change into very moist tropical forests with splendid specimens of cotton tree *(Ceiba pentandra)*, 'nargusta amarillo' *(Terminalia amazonica)*, 'almendro' *(Dipterix panamensis)* and Santa María *(Calophyllum longifolium)* along with abundant palms of the genera *Socratea*, *Astrocaryun* and *Bactris*. There are overlooked further up the slopes by premontane rainforests, low montane rainforests and montane rainforests containing exceptional specimens of 'almendros' *(Dipterix panamensis)*, 'bateos' *(Carapa slateri)* and oaks *(Quercus* spp.). Finally, there is subalpine pluvial paramo, which is only found in the area around Cerro Fábrega. The highest parts of the

• • • PRACTICAL INFORMATION • • •

◆ **LOCATION:** THE PARK IS located in Chiriquí and Bocas del Toro provinces, 480 kilometers by road from Panama City.

◆ **ACCESS:** IN DAVID, THE capital of Chiriquí province, there is an international airport. Visitors can reach the park in a vehicle via the towns of Cerro Punta, Piedra Candela, Río Sereno and Boquete.

◆ **FACILITIES:** IN LAS NUBES (Chiriquí), there is an administrative center with a visitor center, camping site and natural trail. There are refuges in Culebra and Cotito. In Teribe (Bocas del Toro), there is another administrative center.

◆ **ACCOMMODATION:** IN ADDITION TO in David City, accommodation can be found in Cerro Punta and Boquete.

◆ **USEFUL ADDRESSES:** FOR FURTHER information, contact the regional headquarters of ANAM in Chiriquí (telephone (507) 775-3163; fax (507) 775-3163) or the park offices in Boquete (507) 720-3057 or Teribe (507) 758-8967.

• *Puma* • *Puma*

de coral *(Micrurus mipartitus)* y la serpiente oropel *(Bothrops nigroviridis)*.
De las más de 400 especies de aves que hasta la fecha se han censado en el área protegida destacan el águila harpía *(Harpia harpyja)*, el colibrí endémico estrella garganta ardiente *(Selasphorus ardens)*, el majestuoso quetzal *(Pharomachrus mocinno)*, la singular ave sombrilla cuellinuda *(Cephalopterus glabricollis)*, el campanero tricarunculado *(Procnias tricarunculata)*, con su canto semejante al sonido de una campana, y el águila crestada *(Morphnus guianensis)*, una de las mayores y más amenazadas aves rapaces de la región neotrópica.
Existen diversos senderos naturales que se adentran en el interior del parque, destacando el de la Cascada y el del Retoño.

• *Selva húmeda* • *Moist forest*

mountain range contain endemic trees such as *Cetronia grandiflora*, *Sourquia seibertii* and *Ardisia crassipes*. If its botanical diversity is extraordinary, its wealth of wildlife is even more so. Over 100 species of mammals, including many primates like the howler monkey *(Alouatta palliata)*, black-handed spider monkey *(Ateles geoffroyi)*, white-throated capuchin *(Cebus capucinus)* and night monkey *(Aotus lemurinus)* are found there. The park protects threatened populations of tapir *(Tapirus bairdii)*, groove-toothed squirrel *(Syntheosciurus brochus)*, olingo *(Bassaricyon gabbii)* and shrew *(Cryptotis endersi)*. The five species of cats found in Panama also live here.

Ninety one species of amphibians have been recorded in the park, including the arlequin frog *(Atelopus chiriquensis)* and spiny toad *(Bufo coniferus)*. Among the 61 species of reptiles are the spectacular mountain salamander *(Bolitoglossa compacta)*, the deadly coral snake *(Micrurus mipartitus)* and the oropel *(Bothrops nigroviridis)*.

• Alasable violáceo (hembra)
• Violet sabre-wing (female)

Of the over 400 bird species recorded to date in the park, the most outstanding are the harpy eagle *(Harpia harpyja)*, endemic glow-throated hummingbird *(Selasphorus ardens)*, magnificent quetzal *(Pharomachrus mocinno)*, unique umbrella bird *(Cephalopterus glabricollis)*, three-wattled bellbird *(Procnias tricarunculata)*, whose call resembles the sound of a bell, and the crested eagle *(Morphnus guianensis)*, one of the largest and most threatened birds of prey in the Neotropics. There are several natural trails leading into the park's interior, the La Cascada and El Retoño trails being of particular interest.

• Atardecer en Cerro Punta • Cerro Punta at dusk

• PARQUE NACIONAL VOLCÁN BARÚ •

El Parque Nacional Volcán Barú fue creado en el año 1976 con una superficie de 14.322,5 hectáreas, todas ellas situadas en la provincia de Chiriquí, en su vertiente pacífica. Ubicado en las proximidades de la Cordillera de Talamanca, la cima del imponente macizo del volcán Barú, de 3.474 metros de altitud, es el punto más alto de todo el país. Desde esta privilegiada atalaya se divisan ambos océanos y una gran parte de la región oriental de Panamá. Como recuerdo de su pasada actividad, que se remonta a los años 600 de nuestra era, desde los 1.800 metros sobre el nivel del mar, la cota más baja del parque, hasta la cima, se suceden las formaciones de lava, las tobas y los acantilados volcánicos. Esto hace que su topografía sea muy quebrada y que se encuentre una gran diversidad de zonas de vida en tan escaso número de hectáreas protegidas.

• Orquídea • Orchid

Las temperaturas medias anuales fluctúan entre los 20°C en sus partes más bajas hasta menos de 10°C en la cumbre del volcán. Las precipitaciones son también muy variables, menos intensas en las zonas más bajas con una media en torno a los 4.000 mm anuales, mientras que ésta supera los 6.000 mm en las partes más altas. En el parque nacen importantes cursos fluviales como el río Caldera, cuyas aguas generan

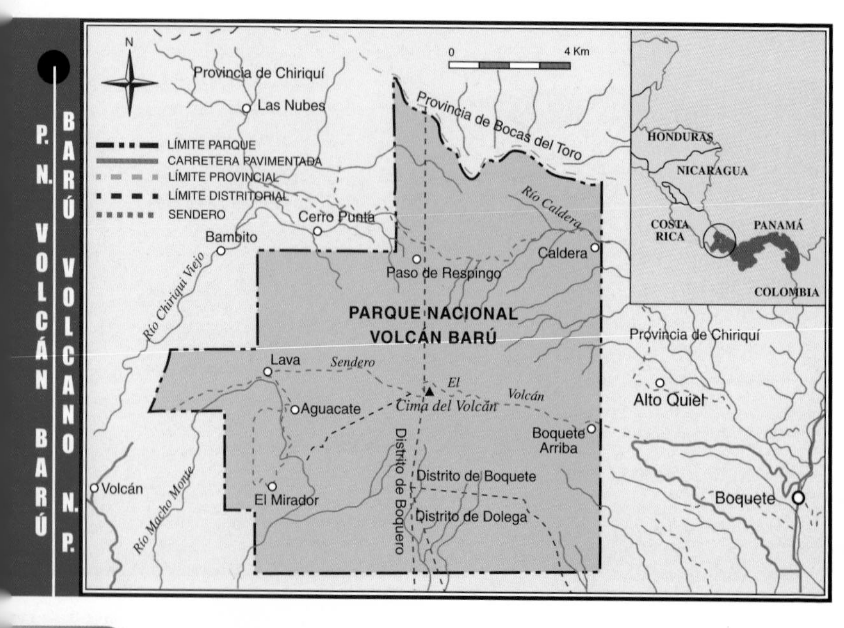

• BARÚ VOLCANO NATIONAL PARK •

• Volcán Barú • Baru Volcano

BARÚ VOLCANO National Park was established in 1976 on 14,322.5 hectares of land in Chiriquí Province on Panama's Pacific slope. Located near the Talamanca Mountains (Cordillera de Talamanca), the peak of the imposing massif of 3,474-meter-high Barú Volcano is the highest point in the entire country. Both oceans are visible from this excellent lookout point as well as a large part of eastern Panama.

As a reminder of volcanic activity dating back to the sixth century AD, a succession of lava flows, tors and volcanic cliffs stretch from 1,800 meters above sea level, the lowest point in the park, to the peak, creating very rugged topography and a wide variety of life zones for such a small area of protected land.

Average annual temperatures fluctuate between 20°C in the lowest parts to under 10°C on the top of the volcano. Precipitation is also very variable. Although less heavy on the low lying land, with an annual average of about 4,000 mm, it exceeds 6,000 mm in the upper reaches. Important river courses, such as the River Caldera, rise in the park. Water from the Caldera generates a lot of hydro-electricity for the entire country, before mixing with the waters of the River Chiriquí. David, Platanal, Piedra, Escarrea and

• Pescatoria dayana

• Bromelias • Bromeliads

una gran cantidad de energía hidroeléctrica para todo el país antes de unirse a las del río Chiriquí, y los ríos David, Platanal, Piedra, Escarrea y Gariché.

A pesar de sus reducidas dimensiones en el área protegida se localizan bosques muy húmedos montanos, bosques húmedos montanos bajos –que no se encuentran en ningún otro lugar de Panamá–, bosques pluviales montanos bajos, bosques pluviales montanos, bosques muy húmedos montanos bajos y bosques pluviales premontanos. Su altitud y aislamiento convierten al macizo en una isla bioclimática en la que junto a especies comunes en otros lugares como los enormes robles (*Quercus* spp.) o los robles de vaco (*Magnolia sororum*) se localizan numerosos endemismos de esta región como la zarzamora (*Rubus praecipuus*) o las orquídeas *Stelis montana*, *Hoffmania areolata* y *Anthurium chiriquense*.

Más de 250 especies de aves han sido censadas en el parque, entre ellas el bellísimo quetzal (*Pharomachrus mocinno*), el espectacular aguilillo blanco y negro (*Spizastur melanoleucus*) que sobrevuela las paredes acantiladas del área protegida, y los colibríes ventrinegro (*Eupherusa nigriventris*) y el orejivioláceo pardo (*Colibri*

• *Alasable violáceo*
• *Violet sabre-wing*

• *Torrente en Volcán Barú* • *Stream at Barú Volcano*

• • • PRACTICAL INFORMATION • • •

◆ **LOCATION:** THE PARK IS IN Chiriquí Province, above the Cordillera de Talamanca, 473 kilometers by road from Panama City.

◆ **ACCESS:** THERE IS AN international airport in David, the capital of Chiriquí Province. Vehicle access to the park is via the towns of Boquete (on the eastern slopes) and Cerro Punta (on the western slopes). There are paths leading to the top of the volcano from both towns.

◆ **FACILITIES:** THE PARK HAS administrative headquarters, an information booth, ranger station, interpretation center and two refuges (Respingue and Alto Chiquero).

◆ **ACCOMMODATION:** BESIDES IN DAVID, accommodation is available in the towns of Boquete and Cerro Punta in the vicinity of the national park.

◆ **USEFUL ADDRESSES:** FOR FURTHER information, contact the regional headquarters of ANAM in Chiriquí (telephone (507) 774-6671; fax (507) 775-3163) or the national park offices (telephone (507) 775-2055).

Gariché Rivers also rise here. Despite its smallness, the protected area contains very moist montane forests, low moist montane forests, not found elsewhere in Panama, low montane rainforest, montane rainforest, very moist low montane forest and premontane rainforest. The altitude and isolated location make the massif into a bioclimatic island, where, alongside species that are common in other parts, such as huge oaks (*Quercus* spp.) or magnolia (*Magnolia sororum*), there are many regional endemisms, like, for

• *Manigordo* • *Ocelot*

delphinae). También están presentes especies endémicas de la Cordillera de Talamanca como la reinita carinegra *(Basileuterus melanogenys)*, el zeledonia *(Zeledonia coronata)*, el pinzón musliamarillo *(Pselliophorus tibialis)* y la pava negra *(Chamaepetes unicolor)*. Las cinco especies de felinos que viven en Panamá están aquí también presentes, siendo el puma o león venado *(Felis concolor)* el más abundante entre ellos. Otros mamíferos que poseen aquí poblaciones estables son el amenazado ratón de agua *(Rheomys underwoodi)*, el gato de espinas o puercoespín *(Sphiggurus mexicanus)* y una gran cantidad de murciélagos con especies como *Artibeus aztecus* y *Lasiurus borealis*.

• • • INFORMACIONES PRÁCTICAS • • •

◆ **LOCALIZACIÓN:** EL PARQUE se encuentra situado en la provincia de Chiriquí, sobre la Cordillera de Talamanca, y dista 473 kilómetros por carretera desde la ciudad de Panamá.

◆ **ACCESOS:** EN DAVID, la capital de la provincia de Chiriquí, existe un aeropuerto internacional. Al parque se accede en vehículo a través de las poblaciones de Boquete (en sus laderas orientales) y de Cerro Punta (en sus laderas occidentales). De ambas poblaciones salen senderos que permiten alcanzar a pie la cima del volcán.

◆ **SERVICIOS:** EL PARQUE posee una sede administrativa con una caseta de información, una casa de guardaparques, un sendero interpretativo y dos refugios (Respingue y Alto Chiquero).

◆ **ALOJAMIENTO:** ADEMÁS de en la ciudad de David, se puede conseguir alojamiento en las poblaciones de Boquete y Cerro Punta, en las proximidades del parque nacional.

◆ **DIRECCIONES DE INTERÉS:** PARA CUALQUIER información dirigirse a la sede regional del ANAM en Chiriquí. Tel.: (507) 774-6671; fax: (507) 775-3163, o a las oficinas del parque nacional. Tel.: (507) 775-2055.

• Bosque pluvial montano • Montane rainforest

example, the 'zarzamora' *(Rubus praecipuus)* or the orchids *Stelis montana*, *Hoffmania areolata* and *Anthurium chiriquense*.
Over 250 bird species have been recorded in the park, including the extremely beautiful quetzal *(Pharomachrus mocinno)*, the spectacular black and white hawk eagle *(Spizastur melanoleucus)* that soars above the steep cliffs of the protected area, the black-bellied hummingbird *(Eupherusa nigriventris)* and the brown violet ear *(Colibri delphinae)*. Species endemic to the Cordillera de Talamanca are also found here, such as the black-cheeked warbler *(Basileuterus melanogenys)*, wrenthrush *(Zeledonia coronata)*, yellow-thighed finch *(Pselliophorus tibialis)* and black guan *(Chamaepetes unicolor)*.
Of the five cat species found in Panama that are also found here, the puma *(Felis concolor)* is the most common.
Other mammals with stable populations are the threatened mouse *Rheomys underwoodi*, porcupine *(Sphiggurus mexicanus)* and a large number of bat species such as *Artibeus aztecus* and *Lasiurus borealis*.

• Afluente del río Chiriquí • Tributary of Chiriquí River

• PARQUE NACIONAL CERRO HOYA •

• Río-torrente en Cerro Hoya • Stream river at Cerro Hoya

CON UNA extensión de 32.557 hectáreas el parque Cerro Hoya fue creado en el año 1985 en el extremo suroccidental de la península de Azuero, sobre las costas del Pacífico panameño. El pico Cerro Hoya, con 1.559 metros, es el más alto de todo Azuero, al que acompañan sus picos vecinos de 1.534 metros y 1.478 metros respectivamente.
El parque es de origen volcánico y está formado por las rocas más antiguas del Istmo que datan del Cretácico Superior. La climatología varía mucho de la costa a las cimas. Mientras que en el litoral las temperaturas medias oscilan alrededor de los 26°C y la precipitación en torno a los 2.000 mm anuales, en las cimas son de 20°C y de

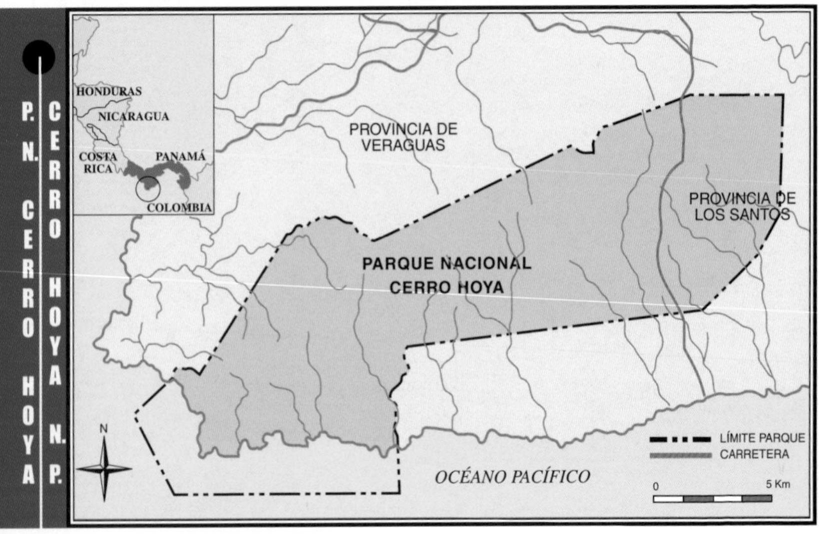

• CERRO HOYA NATIONAL PARK •

• Manglar • Mangrove swamp

COVERING AN area of 32,557 hectares, Cerro Hoya park was set up in 1985 at the south-western end of the Azuero Peninsula above the Pacific coasts of Panama. At 1,559 meters high, Cerro Hoya peak is the highest in all Azuero, along with neighbouring peaks at 1,534 and 1,478 meters.
The park is of volcanic origin and is made up of the oldest rocks on the Isthmus dating from the Upper Cretaceous.
The climate varies greatly from the coast to the peaks. While on the coast, average temperatures are around 26°C and precipitation about 2,000 mm annually, on the peaks they are 20°C and 4,000 mm, respectively.
Cerro Hoya is an important hydrological reserve in which the region's most important rivers, such as the Tonosí, Guánico, Cobachón, Punta Blanca, Sierra, Varadero and the Pavo, rise. These rivers have spectacular waterfalls and crystal clear pools.
The protected area comprises a coastal strip that stretches from the mouth of the River Ventana to the mouth of the River Restingue, including the Restingue Islands and the continental shelf surrounding them, with keys, mangrove swamps, coral reefs, islets and coastal cliffs.
The higher parts contain low montane rainforest, and further down the slopes there are very moist low

• Orquídea • Orchid

• Ñeque • Agouti

• Hormiga arriera • 'Arriera' ant

costeros. En las partes más altas se desarrolla el bosque pluvial montano bajo y a medida que se

• Guacamaya roja
• Scarlet macaw

desciende se localizan los bosques muy

4.000 mm. Cerro Hoya es una importante reserva hidrológica en la que nacen los más notables ríos de la región como el Tonosí, el Guánico, el Cobachón, el Punta Blanca, el Sierra, el Varadero y el Pavo. Estos cursos de agua poseen espectaculares cascadas y pozas de aguas transparentes.

El área protegida comprende una franja litoral que va desde la desembocadura del río Ventana hasta la desembocadura del río Restingue, incluyendo las islas Restingue y la plataforma continental que las rodea con sus cayos, manglares, arrecifes de coral, islotes y acantilados

• • • INFORMACIONES PRÁCTICAS • • •

◆ **LOCALIZACIÓN:** EL PARQUE SE encuentra situado en el extremo sudoeste de la península de Azuero, sobre las costas del Pacífico panameño, en las provincias de Veraguas y de Los Santos y dista 350 kilómetros por carretera desde la ciudad de Panamá.

◆ **ACCESOS:** SITUADO EN EL área más remota e inaccesible de la península de Azuero se puede acceder con vehículo hasta la comunidad de Tonosí y al área de Restingue. También puede accederse por mar desde los puertos de los Buzos en Tonosí y de Restingue en Montijo.

◆ **SERVICIOS:** EL PARQUE POSEE dos sedes administrativas, una en la comunidad de Tonosí, provincia de Los Santos, y otra en el área de Restingue, en la provincia de Veraguas. En el área protegida existen dos casas de guardaparques.

◆ **ALOJAMIENTO:** EN LAS POBLACIONES de Las Tablas y Tonosí.

◆ **DIRECCIONES DE INTERÉS:** PARA CUALQUIER información dirigirse a la sede regional del ANAM en Los Santos. Tel.: (507) 994-0074; fax: (507) 994-6676, o a las oficinas del parque nacional en Tonosí. Tel.: (507) 995-8180, o en Restingue. Tel.: (507) 998-4271.

• *Venado cola blanca* • *White-tailed deer*

••• PRACTICAL INFORMATION •••

◆ **LOCATION:** THE PARK LIES at the south-western end of the Azuero Peninsula above the Pacific coast of Panama in the provinces of Veraguas and Los Santos, 350 kilometers by road from Panama City.

◆ **ACCESS:** LOCATED IN THE most remote and inaccessible part of the Azuero Peninsula, access is possible by vehicle as far as Tonosí and the Restingue area. It is also accessible by sea from the ports of Los Buzos in Tonosí and from Restingue in Montijo.

◆ **FACILITIES:** THE PARK HAS two administrative centers, one in Tonosí, Los Santos Province, and the other in the Restingue area of Veraguas Province. There are two ranger stations in the protected area.

◆ **ACCOMMODATION:** AVAILABLE IN THE towns of Las Tablas and Tonosí.

◆ **USEFUL ADDRESSES:** FOR ANY FURTHER information, contact the regional headquarters of ANAM in Los Santos (telephone (507) 994-0074; fax (507) 994-6676) or the national park offices in Tonosí (telephone (507) 995-8180 or in Restingue (telephone (507) 998-4271). ●

montane forests, premontane rainforest, very moist premontane forests and, in the coastal areas, moist tropical forest. The most common forest species in the protected area are mahogany *(Swietenia macrophylla)*, 'espavé' *(Anarcadium excelsum)*, 'guayacán' *(Tabebuia guayacan)*, 'cuipo' *(Cavanillesia platanifolia)*, oak *(Tabebuia rosea)*, spiny cedar *(Bombacopsis quinatum)*, silk cotton tree *(Ceiba pentandra)* and 'barrigón' *(Pseudobombax septenatum)*. Over 95 bird species have been recorded there, including the threatened scarlet macaw *(Ara macao)*, painted parakeet *(Pyrrhura picta)* from southern Azuero, the huge king

• *Jaguar* • *Jaguar*

húmedos montanos bajos, los bosques pluviales premontanos, los bosques muy húmedos premontanos y, ya en las zonas costeras, los bosques húmedos tropicales. Las especies forestales más comunes en el área protegida son la caoba *(Swietenia macrophylla)*, el espavé *(Anarcadium excelsum)*, el guayacán *(Tabebuia guayacan)*, el cuipo *(Cavanillesia platanifolia)*, el roble *(Tabebuia rosea)*, el cedro espino *(Bombacopsis quinatum)*, la ceiba *(Ceiba pentandra)* y el barrigón *(Pseudobombax septenatum)*. Se han censado más de 95 especies de aves, entre ellas la amenazada guacamaya roja *(Ara macao)*, el perico pintado *(Pyrrhura picta)* de la región sur de Azuero, el enorme gallinazo rey *(Sarcoramphus papa)*, el águila pescadora *(Pandion haliaetus)* y el gavilán manglero *(Buteogallus subtilis)*. Entre los mamíferos, junto a importantes poblaciones de venados cola blanca *(Odoicoleus virginianus)*, ñeques *(Dasyprocta punctata)* y conejos pintados *(Agouti paca)* se encuentran también el jaguar *(Panthera onca)* y el manigordo *(Felis pardalis)*.

• *Flor de la Pasión*
• *Passion flower*

• *Perezoso de tres dedos*
• *Three-toed sloth*

• Bosque lluvioso • Rainforest

vulture *(Sarcoramphus papa)*, osprey *(Pandion haliaetus)* and mangrove black-hawk *(Buteogallus subtilis)*.

Besides large populations of white-tailed deer *(Odoicoleus virginianus)*, agouti *(Dasyprocta punctata)* and paca *(Agouti paca)*, the mammal community includes jaguar *(Panthera onca)* and ocelot *(Felis pardalis)*.

• PARQUE NACIONAL SARIGUA •

• *Planta de la "Albina"* • *'Albina' plant*

El PARQUE NACIONAL creado en el año 1985 posee una extensión de 8.000 hectáreas formadas por manglares, zonas costeras y áreas completamente deforestadas en la provincia de Herrera, ocupando una franja litoral sobre el Pacífico entre las desembocaduras de los ríos Santa María y Parita, en la bahía del mismo nombre.

El área protegida se extiende sobre un frágil ecosistema conocido como "albina".

Se trata de una zona completamente deforestada y devastada por la acción colonizadora de los pobladores del área en la segunda mitad del siglo XX. Los frágiles bosques costeros del parque, que originalmente llegaban hasta los manglares, fueron destruidos en su totalidad para transformarlos en potreros y zonas de pastoreo, dejando los suelos ácidos y pobres expuestos a

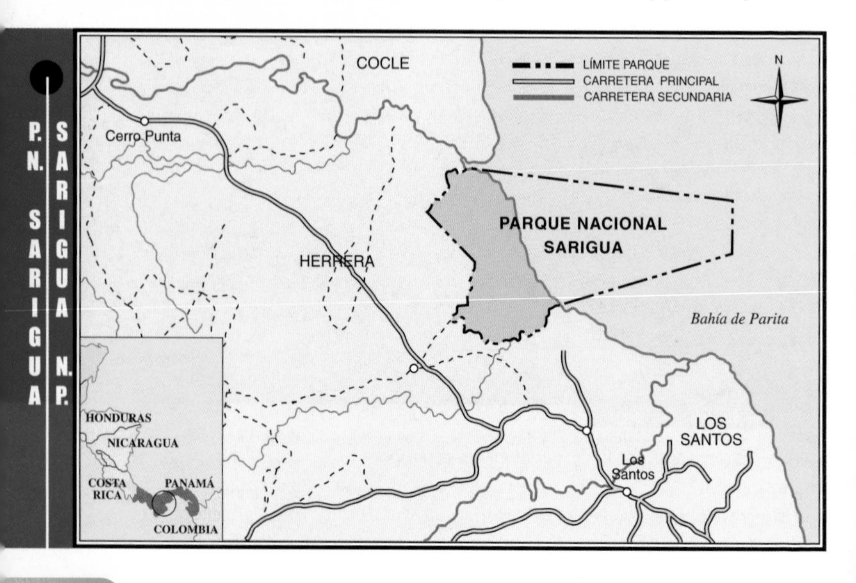

• SARIGUA NATIONAL PARK •

• *Paisaje desértico* • *Desert-like landscape*

THE NATIONAL PARK was set up in 1985 on 8,000 hectares of land consisting of mangrove swamps, coastal zones and completely deforested areas in Herrera Province. It lies along a Pacific coastal strip between the mouths of the River Santa María and the River Parita on the bay of the same name.

The protected area extends over a fragile ecosystem known as 'albina', a completely deforested zone that was ruined by the activities of the people who

••• INFORMACIONES PRÁCTICAS •••

◆ **LOCALIZACIÓN:** EL PARQUE SE encuentra situado en la provincia de Herrera, en la bahía de Parita y dista 239 kilómetros por carretera desde la ciudad de Panamá.

◆ **ACCESOS:** SE ACCEDE POR carretera hasta las poblaciones de Santa María y Parita. También se puede alcanzar el área protegida por vía marítima.

◆ **SERVICIOS:** EL PARQUE POSEE una sede administrativa pero no existen senderos interpretativos.

◆ **ALOJAMIENTO:** EN LAS POBLACIONES de Aguadulce al norte del parque y de Chitré al sur del mismo.

◆ **DIRECCIONES DE INTERÉS:** PARA CUALQUIER información dirigirse a la sede regional del ANAM en Herrera. Tel.: (507) 966-8216; fax: (507) 966-8165, o a las oficinas del parque nacional. Tel.: (507) 966-8216.

la erosión causada por los fuertes vientos, las lluvias de invierno y el flujo de las mareas.

El parque se encuentra en la región más árida del país, con una precipitación media anual de 1.100 mm y unas temperaturas medias anuales que superan los 27°C, formando un paisaje desértico que no se conoce en ningún otro lugar de Panamá. La belleza de estos paisajes desprovistos de todo tipo de vegetación y atravesados por profundas grietas y cárcavas producidas por la erosión es uno de los atractivos de este parque nacional.

• Paisaje costero • Coastal landscape

• Bosque seco • Dry forest

En el área litoral aún se conservan importantes manglares y algunas masas forestales de bosque seco en los que se encuentran árboles de macano *(Caesalpinia coriaria)*, alcornoque *(Mora oleifera)* y piñuela *(Bromelia pinguin)*.
La fauna es escasa en este

• *Manglar* • *Mangrove swamp*

colonised the area in the second half of the twentieth century. The park's fragile coastal forests, which used to reach as far as the mangrove swamps, were totally destroyed to make way for grazing land, leaving poor acid soils exposed to the erosion caused by strong winds, winter rains and the ebb and flow of the tides. The park lies in the most arid part of the country, where average annual precipitation is 1,100 mm and average annual temperatures exceed 27°C, creating a desert-like landscape unknown elsewhere in Panama. The beauty of the landscape, devoid of any kind of vegetation and criss-crossed by deep fissures and gullies caused by erosion, is one of the attractive features of this national park.

On the coast, there are still large mangrove swamps and some tracts of dry forest where macano trees *(Caesalpinia coriaria)*, 'alcornoque' *(Mora oleifera)* and 'piñuela' *(Bromelia pinguin)* can be found. Wildlife is scarce in this desert-like environment, but

• *Ecosistema "albina"*
• *'Albina' ecosystem*

• Área deforestada • Deforested area

ambiente desértico pero en el litoral pueden observarse diferentes aves marinas, entre las que destacan las bandadas de pelícanos. Se han censado 162 especies de aves migradoras.
En Sarigua se han descubierto importantes restos arqueológicos que corresponden a un asentamiento humano de pescadores que posee una antigüedad de 11.000 años, lo que le convierte en el enclave habitado más antiguo hasta ahora conocido del Istmo panameño, y a una aldea agrícola, la más antigua del país, que data de 5.000 a 1.500 años.

• Aspecto lunar • Lunar-like landscape

• • • PRACTICAL INFORMATION • • •

◆ **LOCATION:** THE PARK LIES in Herrera Province on Parita Bay, 239 kilometers by road from Panama City.

◆ **ACCESS:** THERE IS access by road to the towns of Santa María and Parita. The protected area can also be reached by sea.

◆ **FACILITIES:** THE PARK HAS administrative headquarters, but there are no nature trails.

◆ **ACCOMMODATION:** IN THE TOWNS of Aguadulce to the North of the park and Chitré to the South.

◆ **USEFUL ADDRESSES:** FOR FURTHER information, contact the regional headquarters of ANAM in Herrera (telephone (507) 966-8216; fax (507) 966-8165) or the national park offices (507) 966-8216.

on the coast various seabirds can be seen, including flocks of pelicans. 162 species of migratory birds have been recorded. In Sarigua, important archaeological remains have been discovered from a 11,000-year-old fishing settlement, the oldest known inhabited place on the Isthmus of Panama, and from the oldest farming settlement in the country, which dates from 5,000 to 1,500 years ago.

• Restos del bosque seco • Some tracks of dry forest

• PARQUE NACIONAL GENERAL DE DIVISIÓN OMAR TORRIJOS HERRERA •

CREADO EN EL AÑO 1986 con una extensión de 25.275 hectáreas se encuentra ubicado al norte del poblado El Copé, en la provincia de Coclé, sobre la Cordillera Central del país que sirve de divisoria entre el Caribe y el Pacífico. Su máxima altitud es el cerro Peña Blanca, con 1.314 metros sobre el nivel del mar. También se localiza allí el cerro Marta, con 1.046 metros de altitud, donde se estrelló en 1981 el avión del general Torrijos. Con una orografía muy complicada, las temperaturas medias oscilan entre los 25°C en las partes más bajas y los 20°C en sus cimas. También existe una notable diferencia entre las precipitaciones que caen sobre la vertiente pacífica, la más seca, que oscilan en torno a los 2.000 mm anuales, y las que recibe el sector caribeño, que están en torno a los 4.000 mm. El parque protege las cabeceras de los más importantes ríos de la región como el San Juan, el Belén y el Concepción en la vertiente caribeña, y el Grande, el Marta y el

• Tucán pico iris
• Keel-billed toucan

• Bosque pluvial montano
• Montane rainforest

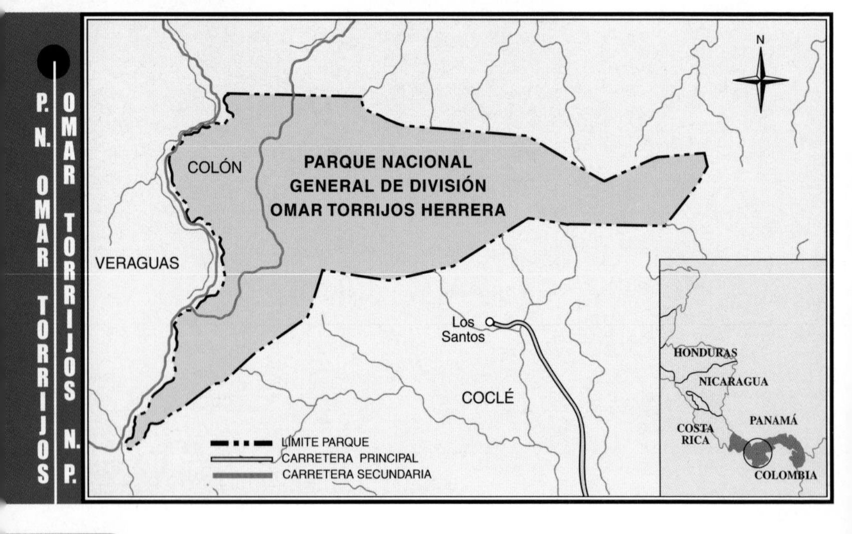

• GENERAL DE DIVISIÓN OMAR TORRIJOS HERRERA NATIONAL PARK •

• *Bosque pluvial montano bajo* • *Low montane rainforest*

SET UP IN 1986 over an area of 25,275 hectares, it is located north of the town of El Copé in Coclé Province above the country's central mountain range, which serves as a watershed between the Caribbean and the Pacific.

Maximum altitude is reached on Cerro Peña Blanca 1,314 meters above sea level. 1,046-meter-high Cerro Marta, where the plane carrying General Torrijos crashed in 1981, is also located there.

With very complex orography, average temperatures range between 25°C in the lowest parts and and 20°C on the peaks. There is also a considerable difference between the 2,000 mm annual precipitation

• Arroyo en Omar Torrijos • Stream at Omar Torrijos

Nombre de Dios en la vertiente pacífica.
En las partes más altas se desarrollan bosques pluviales montanos bajos y a medida que se desciende bosques pluviales premontanos, bosques muy húmedos premontanos y bosques muy húmedos tropicales en las áreas más bajas de la lluviosa vertiente del Caribe. El área es también muy rica en endemismos botánicos como *Manettia hydrophila* o *Anthurium coclense*.
Entre las especies de mamíferos en peligro de extinción que aún se encuentran en el parque están todos los felinos que viven en Panamá, incluyendo el jaguar *(Panthera onca)*, el puma o león americano *(Felis concolor)*, el manigordo *(Felis pardalis)*, el tigrillo *(Felis wiedii)* y el tigrillo congo *(Felis yagouaroundi)*.

• • • INFORMACIONES PRÁCTICAS • • •

◆ **LOCALIZACIÓN:** EL PARQUE SE encuentra situado en la provincia de Coclé y dista 180 kilómetros por carretera desde la ciudad de Panamá.

◆ **ACCESOS:** SÓLO ES accesible por carretera la zona sur del parque a través de la población de Penonomé, para llegar a las poblaciones de El Copé y Las Sabanas.

◆ **SERVICIOS:** EL PARQUE posee una sede administrativa, una caseta de información, un sendero interpretativo, un refugio y un puesto de control.

◆ **ALOJAMIENTO:** EN LA POBLACIÓN de Penonomé y un poco más al sur en Aguadulce.

◆ **DIRECCIONES DE INTERÉS:** PARA CUALQUIER información dirigirse a la sede regional del ANAM en Coclé. Tel.: (507) 997-7538; fax: (507) 997-9077, o a las oficinas del parque nacional. Tel.: (507) 997-9089.

• Bosque primario • Primary forest

that falls on the drier Pacific slope and the 4,000 mm on the Caribbean side. The park protects the headwaters of the most important rivers in the region such as the San Juan, Belén and Concepción on the Caribbean slope, and the Grande, Marta and Nombre de Dios on the Pacific side.

In the upper reaches, low montane rainforest grows, and further down there is premontane rainforest, very moist premontane forest with very moist tropical forest in the lower parts of the rainsoaked Caribbean slope. The area is also very rich in botanical endemisms such as *Manettia hydrophila* or *Anthurium coclense*.

• Tapir • Tapir

Among the endangered mammal species still living in the park, are all the cat species to be found in Panama, including the jaguar *(Panthera onca)*, puma *(Felis concolor)*, ocelot *(Felis pardalis)*, margay *(Felis wiedii)* and jaguarundi *(Felis yagouaroundi)*. There are also stable populations of tapir *(Tapirus bairdii)*, collared peccary

• Selva tropical • Tropical forest

Además existen poblaciones estables de tapir *(Tapirus bairdii)*, saíno *(Tayassu tajacu)*, puerco de monte *(Tayassu pecari)* y venado cola blanca *(Odoicoleus virginianus)*.

La avifauna está muy bien representada, destacando entre ella el evasivo y escaso trogón ventrianaranjado *(Trogon aurantiiventris)*, la cotinga sombrillera *(Cephalopterus glabricollis)*, el colibrí de gorra nivosa *(Microhera alboronata)* y el raro trepatroncos picofuerte *(Xiphocolaptes promeropirhynchus)*.

• Saino • Collared peccary

• Orquídea • Orchid

••• PRACTICAL INFORMATION •••

◆ **LOCATION:** THE PARK IS located in Coclé Province, 180 kilometers by road from Panama City.

◆ **ACCESS:** ONLY THE southern part of the park is accessible by road via the town of Penonomé to get to El Copé and Las Sabanas.

◆ **FACILITIES:** THE PARK HAS administrative headquarters, an information booth, nature trail, refuge and control post.

◆ **ACCOMMODATION:** AVAILABLE IN THE town of Penonomé and a little further south in Aguadulce.

◆ **USEFUL ADDRESSES:** FOR FURTHER information, contact the regional headquarters of ANAM in Coclé (telephone (507) 997-7538; fax (507) 997-9077) or the national park offices (telephone (507) 997-9089).

(Tayassu tajacu), white-lipped peccary *(Tayassu pecari)* and white-tailed deer *(Odoicoleus virginianus)*. Birdlife is very well represented, including the noteworthy rare and elusive orange-bellied trogon *(Trogon aurantiiventris)*, bare-necked umbrella bird *(Cephalopterus glabricollis)*, snowcap *(Microhera alboronata)* and the rare strong-billed woodcreeper *(Xiphocolaptes promeropirhynchus)*.

• Cascada • Waterfall

• PARQUE NACIONAL CHAGRES •

• Cascada Romeo • Romeo Falls

El Parque Nacional Chagres, creado en el año 1985 con 129.000 hectáreas, se encuentra situado en las provincias de Panamá y Colón. Sus bosques producen no sólo más del 40% del agua que requiere el Canal de Panamá para su funcionamiento, sino que también proporciona toda el agua potable que se consume en las ciudades de Panamá y Colón, que concentran el 50% de la población nacional. Sin el río Chagres no habría sido posible la construcción del Canal de Panamá y sin el Parque Nacional Chagres no habría existido el río.
La topografía del parque nacional es muy escarpada, con altitudes que van desde los 60 metros de altura de algunos de sus valles fluviales

• CHAGRES NATIONAL PARK •

• *Lago Alajuela* • *Alajuela Lake*

CHAGRES NATIONAL Park was set up in 1985 over 129,000 hectares of land in the provinces of Panama and Colón. Its forests produce not only more than 40% of the water needed to work the Panama Canal, but also provide all the drinking water consumed in the cities of Panama and Colón, where 50% of the population live. Without the River Chagres, construction of the Panama Canal would not have been possible, and without Chagres National Park, there would have been no river.

The topography of the national park is very steep with altitudes ranging from 60 meters in some river valleys to the highest point, Cerro Jefe, at 1,007 meters above sea level. Other important peaks are Cerro Bruja (974 m), Cerro Brewster (899 m) and Cerro Azul (771 m).

With average temperatures around 30°C in the lowlands and 20°C in the highlands and with precipitation exceeding 4,000 mm on the peaks and 2,200 mm at Lake Alajuela, the steep sides of the volcanic ranges in the protected area are carpeted in moist tropical forests, very moist premontane forests, very moist tropical and premontane rainforest.

The whole park protects the hydrographic basin of the River Chagres, which was dammed in 1914 where it meets the Canal in order to create Lake Gatún, which for

• *Guardaparques*
• *Parkrangers*

• Cerro Azul • Cerro Azul

hasta su punto más alto, el Cerro Jefe, con 1.007 metros sobre el nivel del mar. Otras cimas importantes son Cerro Bruja (974 m), Cerro Brewster (899 m) y Cerro Azul (771 m).
Con temperaturas medias cercanas a los 30°C en las partes más bajas y a los 20°C en las más altas y con precipitaciones que superan los 4.000 mm en las cimas y que en el lago Alajuela llegan a los 2.200 mm, las escarpadas laderas de las cordilleras volcánicas del área protegida se encuentran tapizadas por bosques húmedos tropicales, muy húmedos premontanos, muy húmedos tropicales y pluviales premontanos.
Todo el parque protege la cuenca hidrográfica del río Chagres, que ya en 1914 fue represado a la altura del Canal para formar el lago Gatún, que durante mucho tiempo se convirtió en el lago artificial más grande del mundo. En 1935 el Chagres fue represado de nuevo creando el lago artificial Alajuela, hoy dentro del parque nacional, con más de 5.000 hectáreas de superficie y cuya misión es regular el nivel del lago Gatún. Hoy el Chagres es el único río del mundo que desemboca en dos océanos.
Estos bosques húmedos tropicales están formados por grandes árboles básicamente de los géneros *Bombacopsis*, *Anacardium*, *Tabebuia* y *Cedrela*. En los bosques muy húmedos premontanos son frecuentes los géneros *Calophyllum* y *Achras* y en los bosques muy húmedos tropicales, con fustes gigantes que superan los 50 metros están presentes los géneros *Poulsenia*, *Terminalia* y *Quararibea*. El área de Cerro Jefe es un importante centro de endemismo para epífitas, musgos, orquídeas, helechos y bromelias.
La riqueza faunística del área protegida es también muy notable. Aquí viven las salamandras endémicas *Bolitoglossa schirodactyla* y

• Río Chagres • River Chagres

• Cuenca del río Chagres • River Chagres Basin

a long time was the world's largest artificial lake. In 1935, the Chagres was dammed again, creating 5,000-hectare Lake Alajuela, which is nowadays inside the national park and serves to regulate the level of Lake Gatún. Chagres is currently the only river in the world to flow into two oceans.

The moist tropical forests consist of large trees basically of the genera *Bombacopsis*, *Anacardium*, *Tabebuia* and *Cedrela*. In the very moist premontane forests, the genera *Calophyllum* and *Achras* are common, while in the very moist tropical forests, with huge trunks as big as 50 meters, live the genera *Poulsenia*, *Terminalia* and *Quararibea*. The area around Cerro Jefe is an important place for epiphyte, moss, orchid, fern and bromeliad endemisms. There is also a considerable wealth of wildlife in the protected area, which is home to endemic salamanders *Bolitoglossa schirodactyla* and *Bolitoglossa cuna*. The elusive stripe-cheeked woodpecker *(Piculus callopterus)*, a Panama endemic, can be seen in the vicinity of Cerro Azul and Cerro Jefe. The rare Tacarcuna bush tanager

• Joven iguana
• Young iguana

••• INFORMACIONES PRÁCTICAS •••

◆ **LOCALIZACIÓN:** EL PARQUE SE encuentra situado en las provincias de Panamá y Colón y dista 40 kilómetros por carretera desde la ciudad de Panamá.

◆ **ACCESOS:** SE ACCEDE fácilmente por carretera desde la ciudad de Panamá o desde la ciudad de Colón, en particular a los sectores de Cerro Azul y Cerro Jefe, donde existen senderos claramente señalados. Al lago Alajuela y al río Chagres puede accederse en lancha desde varios puntos de sus riberas.

◆ **SERVICIOS:** LA SEDE administrativa se encuentra en el área del antiguo campo *scout* de Panamá. Existen tres subsedes administrativas: en Altos de Cerro Azul, con un área de acampada, en Cuango y en Alajuela, con un sendero interpretativo. Hay dos refugios, el de Guagaral y la Cascada y tres puestos de control.

◆ **ALOJAMIENTO:** EN LAS ciudades de Panamá y Colón.

◆ **DIRECCIONES DE INTERÉS:** PARA CUALQUIER información dirigirse a la sede regional del ANAM de Panamá Metropolitano. Tel.: (507) 229-7885; fax: (507) 229-7879, o a las oficinas del parque nacional. Tel.: (507) 229-7885.

Bolitoglossa cuna. El esquivo carpintero carirrayado *(Piculus callopterus)*, endémico del país, puede observarse en las inmediaciones de Cerro Azul y Cerro Jefe. La rara tángara de monte de Tacarcuna *(Chlorospingus tacarcunae)*, censada únicamente en el Cerro Tacarcuna de Darién también se encuentra en Cerro Jefe. En sus densos bosques vive una importante población de tapir *(Tapirus bairdii)*, así como algunos ejemplares de águila harpía *(Harpia harpyja)* y del jaguar *(Panthera onca)* y de los otros cuatro felinos panameños.

El Chagres y sus numerosos afluentes constituyen el hábitat de más de 59 especies de peces de agua dulce y en sus aguas vive el gato de agua *(Lontra longicaudis)* junto a babillos *(Caiman crocodylus)* y cocodrilos *(Crocodylus acutus)*.

El Camino Real, utilizado por los españoles para trasladar las riquezas procedentes del Perú y otros países sudamericanos desde la ciudad de Panamá hasta Portobelo atraviesa este parque por el sector de Boquerón. En la parte superior del lago Alajuela se ha establecido una comunidad indígena Emberá.

• *Flor "labios ardientes"*
• *'Burning lips' flower*

• *Río Chagres* • *River Chagres*

• Meandro del río Chagres • Meandre in River Chagres

(Chlorospingus tacarcunae), previously only recorded on Cerro Tacarcuna de Darién, also occurs on Cerro Jefe in Chagres. A large tapir population *(Tapirus bairdii)* lives in the dense forests, as do a few harpy eagles *(Harpia harpyja)* and jaguars *(Panthera onca)*, together with the four other cat species found in Panama. The Chagres and its many tributaries are the habitat of over 59 species of freshwater fish, and the otter *(Lontra longicaudis)* also lives in its waters alongside caimans *(Caiman crocodylus)* and crocodiles *(Crocodylus acutus)*.

The *Camino Real* which was used by the Spanish to transport riches from Peru and other South American countries from Panama City to Portobelo, crosses the park in the Boquerón Sector. A community of native Emberá has settled in the upper part of Lake Alajuela.

••• PRACTICAL INFORMATION •••

◆ **LOCATION:** THE PARK LIES in Panama and Colón Provinces, 40 kilometers by road from Panama City.

◆ **ACCESS:** THERE IS EASY road access from Panama City and Colón City, especially to the Cerro Azul and Cerro Jefe sectors, where there are clearly marked paths. Lake Alajuela and the River Chagres can be reached by launch from several points on the lake or riverside.

◆ **FACILITIES:** THE ADMINISTRATIVE headquarters are in the area of the former Panama scout camp. There are three administrative branch offices: in Altos de Cerro Azul, with a campsite; and in Cuango and Alajuela, each with a nature trail. There are two refuges, the Guagaral and the Cascada, and three control posts.

◆ **ACCOMMODATION:** AVAILABLE IN Panama City and Colón City.

◆ **USEFUL ADDRESSES:** FOR FURTHER information, contact the regional headquarters of ANAM in Metropolitan Panama (telephone (507) 229-7885; fax (507) 229-7879) or the national park offices (507) 229-7885.

• PARQUE NACIONAL SOBERANÍA •

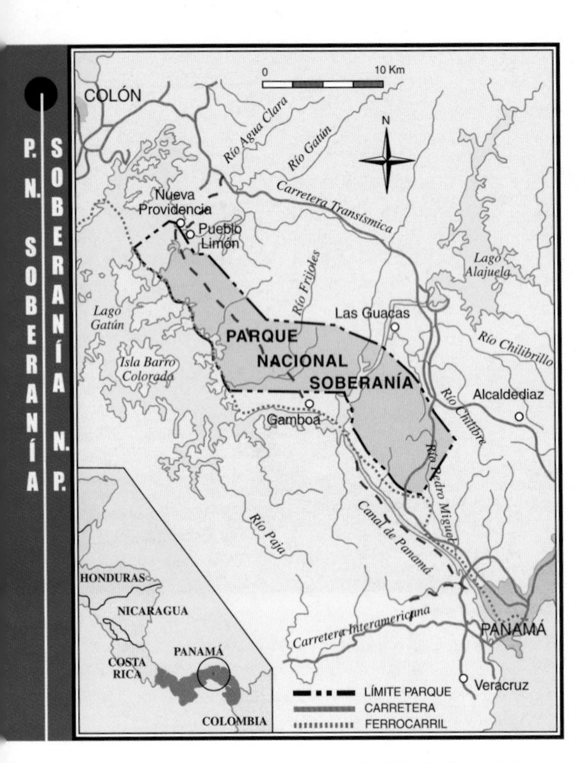

CON UNA extensión de 19.341 hectáreas el Parque Nacional Soberanía, ubicado en las provincias de Panamá y Colón fue creado en el año 1980. No sólo es una de las áreas naturales de más fácil acceso de todo el continente americano sino que constituye uno de los pilares básicos para el funcionamiento y la conservación del Canal de Panamá.

El parque adquiere la forma de una franja vertical a lo largo del margen este del Canal con el que colinda todo a lo largo de su límite oeste en apacibles remansos y ensenadas formadas por el lago Gatún. Los cerros y colinas, ondulados y accidentados dominan su orografía, cuya máxima altitud se alcanza en el Cerro Calabaza (85 metros sobre el nivel del mar). Con una temperatura media anual de 28°C, es la vertiente caribeña del parque, la más extensa, la que recibe una mayor cantidad de precipitación. El río Chagres, cuyo papel es vital para el funcionamiento del Canal, atraviesa el parque nacional a la altura de la población de Gamboa. Numerosos afluentes suyos nacen en el área protegida.

Los bosques húmedos de Soberanía definen su paisaje con imponentes ejemplares de ceiba *(Ceiba pentandra)*,

• Observatorio de aves • Canopy Tower

• SOBERANÍA NATIONAL PARK •

• *Bosque húmedo tropical* • *Moist tropical forest*

WITH MORE than 19,341 hectares, Soberanía National Park, which was created in 1980, lies in the provinces of Panama and Colón. It is not only one of the most easily accessible natural areas on the entire American continent, but is also one of the essential supports underlying the working and conservation of the Panama Canal.

The park is shaped like a vertical strip along the eastern edge of the Canal. Its entire western boundary borders the Canal in peaceful backwaters formed by Lake Gatún. The hills and hummocks of undulating, rough terrain are a predominant feature of the local landscape, which reaches maximum height on Cerro Calabaza (85 meters above sea level).

With an average annual temperature of 28°C, more precipitation falls on the park's more extensive Caribbean slope. The River Chagres, which plays a vital role in the functioning of the Canal, flows across the national park at the town of Gamboa and many of its tributaries rise in the protected area.

The moist forests of Soberanía are its main feature, with impressive examples of cotton tree *(Ceiba*

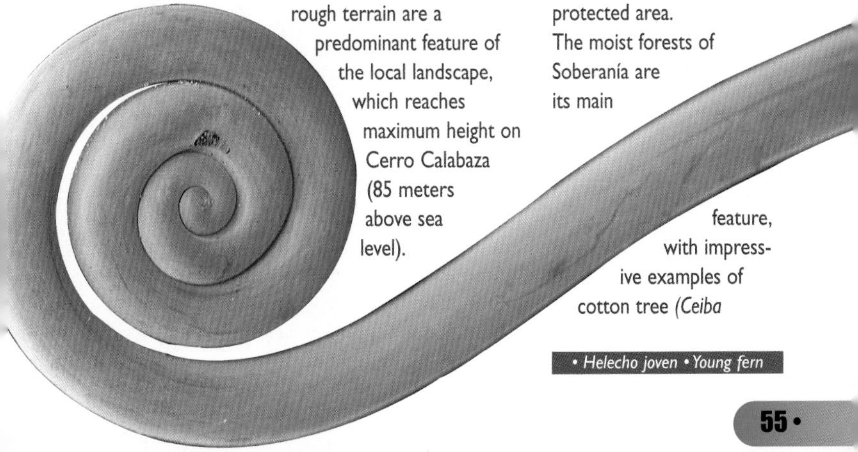

• *Helecho joven* • *Young fern*

• Flor del bosque húmedo
• Moist forest flower

cuipo *(Cavanillesia platanifolia)*, roble *(Tabebuia rosea)* y guayacán *(Tabebuia guayacan)*. En este bosque lleno de lianas, epífitas y orquídeas no faltan las palmas reales *(Scheelea zonensis)*, los nances *(Byrsonima crassifolia)* y los jobos *(Spondias mombin)*, cuyos frutos alimentan a numerosas aves y mamíferos. Más de 1.300 plantas vasculares han sido censadas en estas masas forestales, entre ellas algunas especies endémicas de Panamá como la chirimoya *(Annona spraguei)*, el guayabillo *(Eugenia alliacea)* y el reseco *(Tachigali versicolor)*.

Con 105 especies de mamíferos, 525 especies de aves, 79 de reptiles, 55 de anfibios y 36 especies de peces de agua dulce el parque se convierte en un importante refugio de fauna. Son las aves las que adquieren el mayor protagonismo. En su sendero más conocido, el Camino del Oleoducto, la Sociedad Audubon de Panamá realiza anualmente un censo de Navidad. Durante 19 años consecutivos alcanzó récords mundiales que culminaron en el año 1996 cuando en un solo día se censaron 525 especies de aves. Entre ellas destaca la presencia de la amenazada águila crestada *(Morphnus guianensis)*, las espectaculares loras frentirrojas *(Amazona autumnalis)* y diferentes especies de vistosos

• Orilla este del Canal • Eastern Canal shore

• Guayacán en flor • Flowering guayacan

pentandra), 'cuipo' *(Cavanillesia platanifolia)*, oak *(Tabebuia rosea)* and 'guayacan' *(Tabebuia guayacan)*. Besides innumerable lianas, epiphytes and orchids, this forest also contains royal palms *(Scheelea zonensis)*, 'nance' *(Byrsonima crassifolia)* and wild plum *(Spondias mombin)*, the fruits of which feed many birds and mammals. Over 1,300 vascular plants have been recorded in these tracts of forest, including some species endemic to Panama such as the 'chirimoya' *(Annona spraguei)*, 'guayabillo' *(Eugenia alliacea)* and 'reseco' *(Tachigali versicolor)*.

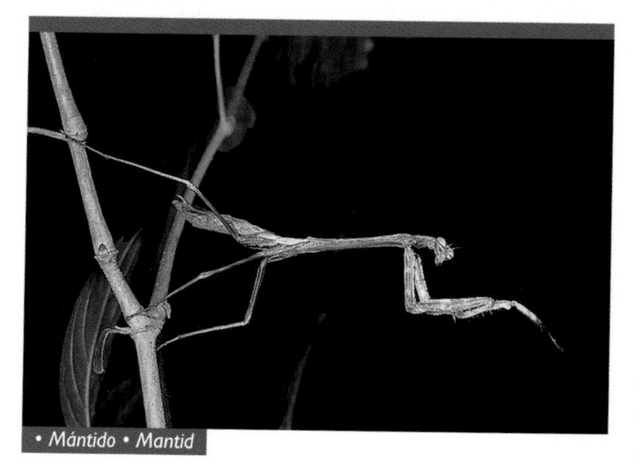
• Mántido • Mantid

With 105 mammal species, 525 bird species, 79 species of reptiles, 55 amphibians and 36 species of freshwater fish, the park is an important wildlife refuge. The birds attract most attention. Every year along the best known trail, the Oleoducto Trail, the Audubon Society of Panama carries out a Christmas bird count. For 19 consecutive years the count has yielded world record numbers, culminating in 1996, in the recording in just one day of 525 species. They include the particularly interesting and threatened crested eagle *(Morphnus guianensis)*,

••• INFORMACIONES PRÁCTICAS •••

◆ **LOCALIZACIÓN:** EL PARQUE SE encuentra situado a lo largo de la margen este del Canal de Panamá, en las provincias de Panamá y Colón y dista 25 kilómetros por carretera de la ciudad de Panamá.

◆ **ACCESOS:** ES UNA DE las áreas protegidas del país de más fácil acceso ya que se encuentra a poco más de media hora de la ciudad de Panamá. Una carretera que conduce a la presa de Maddem atraviesa los bosques húmedos tropicales del parque.

◆ **SERVICIOS:** EN GAMBOA SE encuentra la sede administrativa con un centro de visitantes y los servicios básicos. En Aguas Claras existe un puesto de control y una casa de guardaparques con los servicios básicos. Además del Camino del Oleoducto, especialmente recomendado para ornitólogos, existen otros tres senderos interpretativos: el Charco, el Camino de Plantaciones y el Camino de Cruces. En el área protegida se encuentra una zona para acampada.

◆ **ALOJAMIENTO:** EN LA ciudad de Panamá.

◆ **DIRECCIONES DE INTERÉS:** PARA CUALQUIER información dirigirse a la sede regional del ANAM en la ciudad de Panamá. Tel.: (507) 229-7885; fax: (507) 229-7879, o en las oficinas del parque nacional en Gamboa. Tel.: (507) 229-7885.

trogones como el trogón violáceo *(Trogon violaceus)*. Entre los mamíferos no falta la presencia del jaguar *(Panthera onca)*, de los venados cola blanca *(Odoicoleus virginianus)*, de los ñeques *(Dasyprocta punctata)*, de los mapaches *(Procyon lotor)* y de las manadas de saínos *(Tayassu tajacu)*. Diversas especies de monos ocupan el estrato forestal, entre ellos el pequeño mono tití *(Saguinus oedipus)* y el esquivo jujaná *(Aotus lemurinus)*. Reptiles como el babillo *(Caiman crocodylus)* o la serpiente verrugosa *(Lachesis mutus)*, anfibios como el sapo común *(Bufo marinus)* o la salamandra *(Oedipina parvipes)* y peces de agua dulce como el sábalo pipón *(Brycon petrosum)* o el barbudo *(Rhandia magnesi)* forman parte de la fauna vertebrada de este espacio protegido.

Los invertebrados se cuentan por millares y es fácil ver los inconfundibles nidos y caminos de las hormigas arrieras *(Atta colombica)* e identificar a la peligrosa hormiga folofa *(Paraponera clavata)*.

Entre los senderos del parque destaca el Camino del Oleoducto, al que se accede desde Panamá en sólo una hora, un área donde es fácil observar una gran cantidad de fauna, en especial aves.

El sendero de interpretación natural El Charco, situado en dirección a Gamboa, posee un itinerario interpretativo y una refrescante poza de aguas cristalinas.

El famoso Camino de Cruces atraviesa también el parque. Allí se conserva un trecho restaurado del antiguo trazado empedrado.

Junto al parque se encuentra el Jardín Botánico de Summit que posee también diversos senderos interpretativos y en el que hay que destacar su moderno recinto del Águila Harpía, donde una pareja de esta soberbia rapaz se reproduce en cautividad.

• *Momoto corniazulado*
• *Blue-crownet momot*

the spectacular red-lored amazon *(Amazona autumnalis)* and different species of showy trogons such as the violaceous trogon *(Trogon violaceus)*.
The mammals include jaguar *(Panthera onca)*, white-tailed deer *(Odoicoleus virginianus)*, agoutis *(Dasyprocta punctata)*, raccoons *(Procyon lotor)* and herds of collared peccaries *(Tayassu tajacu)*.
Various species of monkeys live in the forest treetops, including the diminutive cotton-topped tamarin *(Saguinus oedipus)* and the elusive night monkey *(Aotus lemurinus)*.
Reptiles, such as the caimans *Caiman crocodylus* or the snake *Lachesis mutus*, amphibians, such as the common toad *(Bufo marinus)* or the salamander *Oedipina parvipes* and freshwater fishes like the 'sábalo pipón' *(Brycon petrosum)* or 'barbudo' *(Rhandia magnesi)* are part of the vertebrate fauna in this protected area. Invertebrates number in the thousands, and it is easy to spot the unmistakable nests and tracks of the 'arriera' ants *(Atta colombica)* and pick out the dangerous 'folofa' ant *(Paraponera clavata)*.
On the most interesting of the park's trails, the Oleoducto Trail, accessible in just one hour from Panama, it is easy to spot lots of wildlife, especially birds.
The El Charco Trail, situated towards Gamboa, has a nature trail and a refreshing pool of crystal clear water. The famous Cruces Road also crosses the park, where there is a restored section of the old cobbled road. Next to the park is the Summit Botanical Garden, which also has several nature trails.
Its modern harpy eagle enclosure containing a breeding pair of captive eagles is worth a visit.

• *El Charco* • *El Charco*

••• PRACTICAL INFORMATION •••

◆ **LOCATION:** THE PARK IS located along the eastern edge of the Panama Canal in the provinces of Panama and Colón, 25 kilometers by road from Panama City.
◆ **ACCESS:** SOBERANÍA IS one of the most easily accessible protected areas as it is just over half an hour from Panama City. A road leading to the Maddem Dam crosses the park's moist tropical forests.
◆ **FACILITIES:** ADMINISTRATIVE headquarters, a visitor center and basic services can be found in Gamboa. In Aguas Claras, there is a control post and a ranger station with basic services. Besides the Oleoducto Trail, which is particularly recommended for ornithologists, there are three other nature trails: the Charco Trail, Plantaciones Trail and Cruces Trail. There is a camping site in the protected area.
◆ **ACCOMMODATION:** IN PANAMA City.
◆ **USEFUL ADDRESSES:** FOR FURTHER information, contact the regional headquarters of ANAM in Panama (telephone (507) 229-7885; fax (507) 229-7879) or the national park offices in Gamboa (telephone (507) 229-7885).

• PARQUE NACIONAL CAMINO DE CRUCES •

CREADO EN el año 1992, en la provincia de Panamá, el Parque Nacional Camino de Cruces posee una extensión de 4.590 hectáreas que se extienden paralelas al Canal de Panamá. Situado entre el Parque Nacional Soberanía, al norte, y el Parque Natural Metropolitano, al sur, garantiza el flujo ininterrumpido de las especies entre ambas áreas protegidas, al mismo tiempo que cierra el corredor natural que protege la orilla este del Canal de Panamá y asegura su mantenimiento.

Los bosques húmedos tropicales caracterizan este parque nacional de suave orografía ondulada, en el que se localizan grandes ejemplares de ceiba *(Ceiba pentandra)*, cuipo *(Cavanillesia platanifolia)*, nance *(Byrsonima crassifolia)*, jobo *(Spondias mombin)*, roble *(Tabebuia rosea)* y guayacán *(Tabebuia guayacan)*, cuya espectacular floración en abril y mayo anuncia el final de la época seca. También están presentes los grandes higuerones *(Ficus insipida)* que mantienen una relación simbiótica con la diminuta avispa del higuerón *(Blastophaga* sp.), sin la cual este árbol no puede polinizar sus frutos, y las majestuosas palmas reales *(Scheelea zonensis)*.

Entre los reptiles es la iguana verde *(Iguana iguana)* la especie más numerosa.

Las aves son muy abundantes y variadas, destacando la presencia del águila crestada *(Morphnus guianensis)*, el cuclillo faisán

• Flor del bosque tropical
• Tropical forest flower

• CAMINO DE CRUCES NATIONAL PARK •

• *Yaguala* • *'Yaguala'*

• *Árbol Panamá* • *Panama tree*

SET UP IN 1992 in Panama Province, Camino de Cruces National Park covers 4,590 hectares parallel to the Panama Canal. Situated between Soberanía National Park to the North and the Metropolitan Natural Park to the South, it ensures the interrupted flow of species between both protected areas, and shuts off the natural corridor that protects the eastern bank of the Panama Canal and guarantees its maintenance. Moist tropical forest is a feature of this national park with its gentle undulating orography. There are large specimens of cotton tree *(Ceiba pentandra)*, cuipo *(Cavanillesia platanifolia)*, 'nance' *(Byrsonima crassifolia)*, wild plum

• *Bosque húmedo tropical* • *Moist tropical forest*

(Dromococcyx phasianellus), la guacamaya rojiverde *(Ara chloropterus)*, el trogón colipizarra *(Trogon massena)*... En el estrato arbóreo de estos bosques húmedos tropicales viven el mono tití *(Saguinus geoffroyi)* y el esquivo jujaná *(Aotus lemurinus)*, mientras que los venados corsos *(Mazama americana)* y los venados cola blanca *(Odoicoleus virginianus)* comparten estas hectáreas protegidas con los gatos solos *(Nasua narica)* y los ñeques *(Dasyprocta punctata)*.
La riqueza y variedad de la fauna y flora de este parque nacional se complementa con el gran valor histórico y cultural del Camino de

• *Mono araña*
• *Spider monkey*

• *Águila harpía* • *Harpy eagle*

• *Camino colonial* • *Colonial track*

(Spondias mombin), oak *(Tabebuia rosea)* and 'guayacan' *(Tabebuia guayacan)*, the spectacular flowers of which appear in April and May indicating the end of the dry season. Besides magnificent royal palms *(Scheelea zonensis)*, there are large fig trees *(Ficus insipida)* that have a symbiotic relationship with diminutive wasps (*Blastophaga* sp.), without which they cannot pollinate their fruits.

Among the reptiles, the iguana *(Iguana iguana)*, is the most numerous species.

• • • INFORMACIONES PRÁCTICAS • • •

◆ **Localización:** EL PARQUE se encuentra situado en la provincia de Panamá y dista 15 kilómetros por carretera de la ciudad de Panamá.
◆ **Accesos:** ES DE LAS zonas más accesibles por carretera de todo el país.
◆ **Servicios:** EXISTE una sede administrativa y una caseta de información. Algunos tramos del camino han sido restaurados.
◆ **Alojamiento:** EN LA CERCANA ciudad de Panamá.
◆ **Direcciones de interés:** PARA CUALQUIER información dirigirse a la sede regional del ANAM en la ciudad de Panamá. Tel.: (507) 229-7885; fax: (507) 229-7875, o en las oficinas del parque. Tel.: (507) 229-7885.

fundada por los europeos en el Pacífico americano en el año 1519) hasta el río Chagres que desemboca en el Caribe, atravesando una gran parte del Istmo.
En el parque se encuentra un trecho restaurado con su característico empedrado y se mantienen abiertos otros importantes tramos del histórico camino colonial español que ha dado el nombre a este parque nacional.

• Lago Brazo Camarón • Brazo Camarón Lake

Cruces de la época colonial. Por él los españoles transportaban las mercancías y otras riquezas procedentes del Perú, Baja California y Chile desde la ciudad de Panamá (la actual Panamá la Vieja que fue la primera ciudad

• Tucán pico iris • Keel-billed toucan

• *Tramo camino colonial* • *Section of colonial truck*

There are many and varied birds, the crested eagle *(Morphnus guianensis)*, pheasant cuckoo *(Dromococcyx phasianellus)*, the red and green macaw *(Ara chloropterus)*, the slaty-tailed trogon *(Trogon massena)*... In the tree stratum of these moist tropical forests live the tamarin *Saguinus geoffroyi* and the elusive wary *(Aotus ledmurinus)* while the red brocket deer *(Mazama americana)* and white-tailed deer *(Odoicoleus virginianus)* share these protected areas with white-nosed coati *(Nasua narica)* and agoutis *(Dasyprocta punctata)*.

The wealth and variety of this national park's fauna and flora are complemented by the great historic and cultural value of the colonial era Camino de Cruces. The Spanish transported merchandise and riches from Peru, Baja California and Chile along the Cruces Road from Panama City (now Panama la Vieja, the first city to be founded by the Europeans in the American Pacific, in 1519) to the River Chagres, which flows into the Caribbean and crosses a large part of the Isthmus. In the park, in addition to a restored section of road, with its characteristic cobbling, other important sections of this historic Spanish colonial road, which gave its name to the national park, are kept open.

• • • PRACTICAL INFORMATION • • •

◆ **LOCATION:** THE PARK IS situated in Panama Province, 15 kilometers by road from Panama City.

◆ **ACCESS:** IT IS ONE of the most accessible areas by road in the whole country.

◆ **FACILITIES:** THERE IS AN administrative center and an information booth. Some sections of the road have been restored.

◆ **ACCOMMODATION:** AVAILABLE IN nearby Panama City.

◆ **USEFUL ADDRESSES:** FOR FURTHER information, contact the regional headquarters of ANAM in Panama City (telephone (507) 229-7885; fax (507) 229-7875) or the park offices (507) 229-7885.

• PARQUE NACIONAL ALTOS DE CAMPANA •

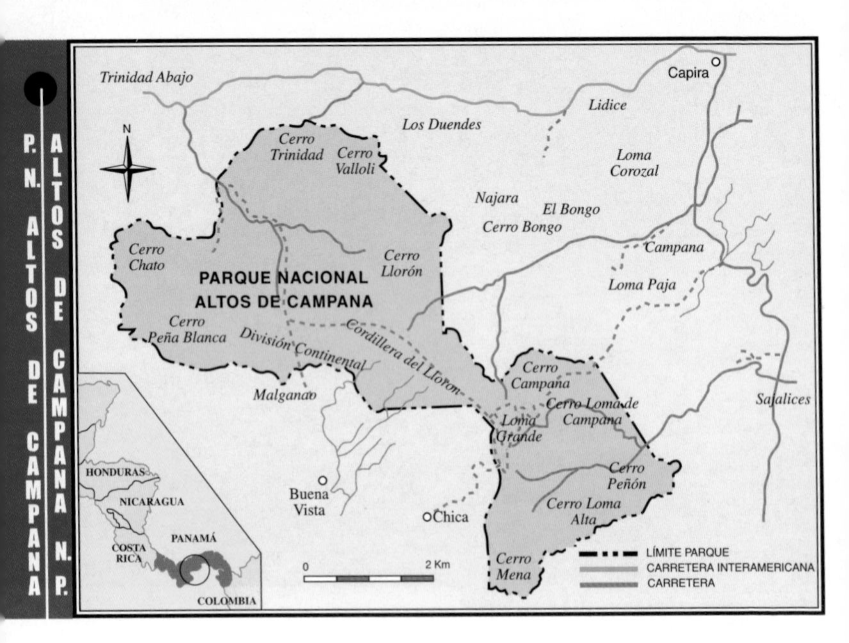

Es el primer parque nacional creado en la República de Panamá, en el año 1966 con una extensión de 4.925 hectáreas. Se encuentra situado en la vertiente oeste del Canal, formando parte de su cuenca. Enclavado muy cerca de las costas de Chame y de sus planicies aluviales, el área protegida se alza desde los 400 metros de altitud en su punto más bajo hasta los 850 metros sobre el nivel del mar que tiene el pico Campana. Desde esta atalaya privilegiada se contemplan no sólo unas espectaculares vistas de la cuenca del Canal sino también unas extraordinarias panorámicas de la bahía de Chame, delimitada por la punta Chame, con sus impresionantes manglares que cubren la boca del río del mismo nombre.

Se trata de una extensión de la formación ígnea del volcán de El Valle de Antón. Su pasada actividad volcánica queda claramente reflejada en su abrupta orografía en la que se observan espectaculares acantilados, campos de lava, tobas volcánicas y otras numerosas manifestaciones que hablan de un pasado geológico de una enorme intensidad.

• Ranita dorada • Golden frog

Las temperaturas medias anuales oscilan en

• ALTOS DE CAMPANA NATIONAL PARK •

• *Cerro Campana* • *Cerro Campana*

ALTOS DE Campana became the Republic of Panama's first national park in 1966, covering an area of 4,925 hectares on the western slope of the Canal and forming part of its basin. Located very near the coasts of Chame and its alluvial plains, the protected area rises from an altitude of 400 meters at its lowest point to Chame Peak 850 meters above sea level. This extraordinary lookout point affords not only spectacular views of the Canal Basin, but also exceptional vistas of Chame Bay, which ends in Chame Point, with its amazing mangrove swamps at the mouth of the Chame River.

This area is part of the igneous landscape of the El Valle de Antón volcano, and its past volcanic activity is clearly reflected in the abrupt terrain, with spectacular cliffs, lava fields, volcanic tors and many other features testifying to its very intense geological history.

Average annual temperatures are around 24°C, and precipitation exceeds 2,500 mm per year. The headwaters of the region's main rivers lie in the national park. The Chame, Perequeté and Caimito rivers rise on the Pacific side, while the Canal Basin slope contains the River Trinidad and several of its principal tributaries.

The rough terrain hosts four different kinds of forest communities: moist tropical forest, very moist premontane forest, very moist tropical forest and premontane rainforest. Although this relatively small area has undergone great impacts due to manmade intervention, 26 species of endemic vascular plants still occur there. The last census

• *Cerro Trinidad* • *Cerro Trinidad*

• Gato solo • White-nosed coati

torno a los 24°C, mientras que las precipitaciones superan los 2.500 mm cada año. En el parque nacional se encuentran las cabeceras de los principales ríos de la región. Así, en su vertiente pacífica nacen en él los ríos Chame, Perequeté y Caimito. En su vertiente que pertenece a la cuenca del Canal tienen su origen el río Trinidad y varios de sus principales afluentes.
En su quebrado terreno se localizan cuatro tipos diferentes de formaciones forestales: el bosque húmedo tropical, el bosque muy húmedo premontano, el bosque muy húmedo tropical y el bosque pluvial premontano. Aunque el área es de dimensiones relativamente reducidas y ha sufrido fuertes impactos por una importante intervención humana, aun se localizan allí 26 especies de plantas vasculares endémicas de Panamá. En el último censo se han identificado 198 especies de árboles y 342 de arbustos.
Las partes más altas del Cerro Campana por su aislamiento geográfico se han convertido en una isla biogeográfica y en un centro de endemismo. Musgos, orquídeas, bromelias y epifitas se multiplican por doquier. Entre las especies endémicas de esta área se encuentra *Chione campanensis*.
Los mamíferos están representados por 39 especies, uno de los más abundantes es la zarigüeya (*Didelphis marsupialis*). También se localiza la especie endémica del ratón de bolsas rosillo (*Liomys adspersus*), el gato solo (*Nasua narica*), el mapache (*Procion cancrivorus*), el perezoso de dos dedos (*Choloepus hoffmani*) y el de tres dedos (*Bradypus variegatus*), el mono tití (*Saguinus geoffroyi*)…
Se han censado 267 especies de aves, de las que 48 son migradoras. Entre estas

••• INFORMACIONES PRÁCTICAS •••

◆ **LOCALIZACIÓN:** EL PARQUE SE halla situado en la provincia de Coclé, dominando la bahía de Chame sobre el Pacífico y dista 90 kilómetros por carretera desde la ciudad de Panamá.
◆ **ACCESOS:** DESDE LA CIUDAD de Panamá se toma la carretera que conduce a Chame paralela a la costa. Se atraviesan las poblaciones de La Chorrera y Capira.
A los pocos kilómetros de atravesar esta población una carretera a mano derecha conduce al parque nacional.
◆ **SERVICIOS:** EL PARQUE POSEE una sede administrativa. Se ha creado un excelente sendero natural interpretativo en el que se pueden observar numerosos animales. Dicho sendero ha sido realizado por la Dirección del parque en colaboración con la Universidad de Panamá. Existe una interesante guía ilustrada del parque que puede adquirirse en las oficinas administrativas del mismo.
◆ **ALOJAMIENTO:** DEBIDO A SU proximidad a la ciudad de Panamá, unos 90 minutos por carretera, se recomienda alojarse en esta ciudad. También puede encontrarse alojamiento en Chame.
◆ **DIRECCIONES DE INTERÉS:** PARA CUALQUIER información dirigirse a las oficinas del ANAM en el parque. Tel.: (507) 244-0092, o a la sede regional del ANAM en Coclé. Tel.: (507) 997-7538; fax: (507) 997-9077.

• *Los Cerros* • *Los Cerros*

recorded 198 tree species and 342 species of bushes. Due to their geographical location, the highest parts of Cerro Campana have become a biogeographical island and a center of endemism. Mosses, orchids, bromeliads and epiphytes grow everywhere, and the region's endemic species include *Chione campanensis*. There are 39 mammal species, one of the most numerous being the black-eared opossum (*Didelphis marsupialis*). Also present are the endemic mouse species *Liomys adspersus*, coati (*Nasua narica*), crab-eating raccoon (*Procion cancrivorus*), two-toed sloth (*Choloepus hoffmani*) and three-toed sloth (*Bradypus variegatus*), Geoffroy's tamarin (*Saguinus geoffroyi*), etc.

267 bird species have been recorded, of which 48 are migratory. The latter include the particularly interesting kite *Elanoides forficatus*, whose continental migrations take place between January and February and between June and September and which occurs in large numbers. Among the spectacular trogons, the Orange-bellied trogon (*Trogon auratiiventris*) is outstandingly lovely and numerous. The forests

• *Cerro Tuza* • *Cerro Tuza*

• *Perezoso de dos dedos* • *Two-toed sloth*

últimas hay que destacar la abundancia del elanio tijereta (*Elanoides forficatus*), cuyas migraciones continentales tienen lugar entre enero y febrero y entre junio y septiembre. De los espectaculares trogones destaca por su belleza y abundancia el trogón ventrianaranjado (*Trogon auratiiventris*). Los bosques de los Altos de Campana sirven también de refugio a otras aves cuyas poblaciones están amenazadas en el resto del continente, como el pico de hoz puntiblanco (*Eutoxeres aquila*), el colibrí ventrivioleta (*Damophila julie panamensis*), el calzonario patirrojo (*Chalybura urochrysia*)...

La riqueza herpetológica del parque es excepcional con 62 especies de anfibios y 86 especies de reptiles, siendo la más importante de toda el área central del país. Entre ellas se encuentran siete especies endémicas, destacando por su belleza y rareza la pequeña ranita dorada (*Atelopus zeteki*) que se encuentra en un área muy restringida del parque nacional. Los otros endemismos son la salamandra (*Bolitoglossa schizodactyla*), la cecilia (*Caecilia volcani*), la lagartija *Anolis lionotus*, el lagarto *Morunasaurus grai*, la culebra *Trimetopon barbouri* y otra culebra del g. *Winia* aún no descrita.

También se encuentra en el área protegida la rana gigante (*Leptodactylus pentadactylus*), el anfibio panameño de mayor tamaño, el sapo espinoso (*Bufo coniferus*) y las ranitas venenosas ventriazul (*Dendrobates minutus*) y verde y negra (*Dendrobates auratus*).

• *Cerro La Luz* • *Cerro La Luz*

• *Bosque húmedo tropical* • *Moist tropical forest*

of the Altos de Campana are also a refuge for other birds with populations that are threatened on the rest of the continent, such as the sicklebill white-tipped (*Eutoxeres aquila*), the violet-bellied hummingbird (*Damophila julie panamensis*), the bronze-tailed plumelesteer (*Chalybura urochrysia*), etc.

The park's 62 species of amphibians and 86 kinds of reptiles represent an extraordinary wealth of reptiles, the greatest in all central Panama. The seven endemic species include the lovely and rare frog *Atelopus zeteki*, which is found in a very small area of the national park.

The others are the salamander *Bolitoglossa schizodactyla*, the caecilian *(Caecilia volcani)*, gecko *Anolis lionotus*, lizard *Morunasaurus grai*, and the snakes *Trimetopon barbouri* and g. *Winia*, which have not yet been described.

The protected area is also home to the giant frog *Leptodactylus pentadactylus*, the largest amphibian in Panama, the spiny toad *(Bufo coniferus)* and the poisonous frogs *Dendrobates minutus* and *Dendrobates auratus*.

••• PRACTICAL INFORMATION •••

◆ **LOCATION:** THE PARK IS located in Coclé Province overlooking Chame Bay over the Pacific, 90 kilometers by road from Panama City.

◆ **ACCESS:** FROM PANAMA CITY, access is via the road to Chame running parallel to the coast. It goes through the towns of La Chorrera and Capira. A few kilometers after the latter town there is a turning on the right for the national park.

◆ **FACILITIES:** THE PARK HAS administrative HQ and an excellent nature trail from which it is possible to see lots of animals. The trail was constructed by the park management in conjunction with Panama University. An interesting illustrated guidebook to the park is available at the park's administrative offices.

◆ **ACCOMMODATION:** VISITORS ARE recommended to stay in Panama City as it is only about 90 minutes drive away. Accommodation is also available in Chame.

◆ **USEFUL ADDRESSES:** FOR FURTHER information, contact the ANAM offices in the park (tel. (507) 244-0092) or the ANAM regional headquarters in Coclé (telephone (507) 997-7538; fax (507) 997-9077).

• PARQUE NACIONAL COIBA •

• Anémonas de mar • Sea anemones

CREADO EN el año 1991 con una extensión de 270.125 hectáreas, de las que 216.543 son marinas, el Parque Nacional Coiba constituye por su extensión y por la riqueza de sus islas y de las aguas marinas que las rodean una de las joyas naturales de Panamá.

La mayor de estas islas de origen volcánico es Coiba, que con 50.314 hectáreas es la isla más grande del país. Junto a ella las islas Jicarón (2.002 ha), Jicarita (125 ha), Canal de Afuera (240 ha), Afuerita (27 ha), Pájaros (45 ha), Uva (257 ha), Brincanco (330 ha), Coibita (242 ha)... y otras muchas más forman las 53.582 ha de territorios insulares.

En su conjunto, las islas del parque poseen más de 240 km de costas que en su mayoría se conservan en su estado natural.

Paradójicamente la conservación de este archipiélago se debe básicamente a que desde 1919 la isla Coiba ha sido utilizada como una colonia

• COIBA NATIONAL PARK •

• *Isla de Coiba* • *Coiba Island*

COIBA NATIONAL Park was set up in 1991 over an area of 270,125 hectares, of which 216,543 hectares are marine habitat. Due to its size and wealth of islands and surrounding marine waters, it may be considered one of Panama's treasures. Covering an area of 50, 314 hectares, the largest of these islands of volcanic origin is Coiba, whose 50,314 hectares also makes it the largest island in the country. Next to them, the islands of Jicarón (2.002 ha), Jicarita (125 ha), Canal de Afuera (240 ha), Afuerita (27 ha), Pájaros (45 ha), Uva (257 ha), Brincanco (330 ha), Coibita (242 ha) and many others make up the 53,582 ha of island territory. All in all, the parks' islands cover over 240 km of coastline, which is mostly conserved in its natural state. Paradoxically, the archipelago's good conservation status is basically due to the fact that since 1919 Coiba Island has been used by the Panamanian Government as a penal colony.

On Coiba Island, the coastal plains lying below 100 meters predominate in the north and south-east of the island, while, over the rest of the territory low-lying hills scarcely above 200 meters altitude make up the predominant landscape. Only in the central area is there a chain of hills, where the highest points, such as 416-meter Cerro de la Torre and 406-meter Cerro de San Juan, are located.

Average annual temperature is about 26°C and annual

• *Fragata*
• *Magnificent frigatebird*

penal por el Gobierno panameño.
En la isla de Coiba las llanuras costeras con elevaciones inferiores a los cien metros predominan en el norte y sudeste de la isla, mientras que en el resto las colinas de poca elevación que apenas superan los 200 metros de altitud constituyen el paisaje dominante. Únicamente en el sector central hay una cadena de colinas donde se encuentran los puntos más altos: el cerro de la Torre con 416 metros y el cerro de San Juan con 406 metros.
La temperatura media anual es de unos 26°C y la precipitación anual media gira en torno a los 3.500 mm. En Coiba existen numerosos ríos como el Negro, con 20 kilómetros de longitud y ocho afluentes, el San Juan, con 18,5 km de extensión y el Santa Clara, con 17 km de longitud. Los bosques primarios son los que predominan en Coiba aunque también se encuentran bosques intervenidos como consecuencia de los campamentos de la colonia penal y de las extracciones forestales de tiempos pasados.
Se han censado 1.450 especies de plantas vasculares con la presencia de abundantes ejemplares de ceiba *(Ceiba pentandra)*, panamá *(Sterculia apetala)*, espavé *(Anacardium excelsum)*, tangaré *(Carapa guianensis)* y cedro espino *(Bombacopsis quinatum)*.
Desde el año 1993 y con la colaboración de la Agencia Española de Cooperación, AECI, existe una estación biológica en el parque que hasta la fecha ha censado 36 especies de mamíferos, 147 de aves y 39 especies de anfibios y reptiles, con un alto grado de endemismo como por ejemplo el ñeque *(Dasyprocta coibae)* y el mono aullador *(Alouatta palliata coibensis)* entre los

• *Isla Jicarón* • *Jicarón Island*

• *Playa en isla Coiba* • *Beach at Coiba Island*

average precipitation is around 3,500 mm. The many rivers in Coiba include the 20-kilometer-long Negro with its eight tributaries, the 18.5-km San Juan and the 17-km Santa Clara. Primary forests are predominant in Coiba although there are also disturbed forests as a result of the penal colony settlements and forestry activities in times past. 1,450 species of vascular plants have been recorded, including many cotton trees *(Ceiba pentandra)*, Panama wood trees (*Sterculia apetala*), 'espaves' *(Anacardium excelsum)*, crabwoods *(Carapa guianensis)* and spiny cedars *(Bombacopsis quinatum)*.

Since 1993 and with the help of the Spanish Co-operation Agency, AECI, the park has had a biological station, which to date has recorded 36 species of mammals, 147 of birds and 39 species of amphibians and reptiles, with a high level of endemisms, such as the agouti *(Dasyprocta coibensi)* and howler monkey *(Alouatta coibensis)* among the mammals, and the Coiba spinetail *(Cranioleuca dissita)* among the birds. Coiba is the only place in Panama where it is possible nowadays to see flocks of threatened scarlet macaw *(Ara macao)*. However, the park's great natural wealth lies in the sea. In Damas Bay, there is a

• *Delfín* • *Dolphin*

• • • INFORMACIONES PRÁCTICAS • • •

◆ **LOCALIZACIÓN:** EL PARQUE SE encuentra situado en la provincia de Veraguas y dista unos 50 minutos en vuelo charter desde la ciudad de Panamá.

◆ **ACCESOS:** UNA PISTA DE aterrizaje en la isla de Coiba permite su acceso por vía aérea. Por carretera desde la ciudad de Panamá se puede alcanzar Puerto Mutis (unas 4 horas) y desde allí trasladarse en barco (2 a 6 horas) hasta el archipiélago.

◆ **SERVICIOS:** EXISTE UNA estación biológica en la parte nordeste de la isla de Coiba. Hay dos miradores, el de Cerro Santa Cruz y el de Cerro La Torre y un sendero marino, el del estero de Boca Grande.

◆ **ALOJAMIENTO:** EN LA ESTACIÓN biológica previa reserva con el ANAM.

◆ **DIRECCIONES DE INTERÉS:** PARA CUALQUIER información dirigirse a la sede regional del ANAM en Veraguas. Tel.: (507) 998-4271; fax: (507) 998-0615, o en las oficinas del parque nacional. Tel.: (507) 998-4271.

mamíferos, y el colaespina de Coiba *(Cranioleuca dissita)* entre las aves. Coiba es el único sitio de Panamá en el que hoy se pueden observar bandadas de las amenazadas guacamayas rojas *(Ara macao)* Pero la gran riqueza natural del parque es la marina. En la bahía de Damas se localiza un arrecife de coral con más de 135 ha de extensión, el segundo más grande del Pacífico centro-oriental y el mayor de toda la región centroamericana. Hasta la fecha se han identificado en la superficie protegida 69 especies de peces marinos, 12 de equinodermos, 45 de moluscos y 13 de crustáceos.

Los mares de Coiba conocidos tradicionalmente por su abundante pesca albergan especies como el tiburón ballena *(Rhincodon typus)*, el tiburón tigre *(Galeocerdo cuvier)*, la manta raya *(Manta birostris)*, el dorado *(Coriphaena hippurus)* y la tuna de aleta amarilla *(Thunnus albacahes)*.
Los mares de Coiba son también el hábitat de cuatro especies de cetáceos: la enorme ballena jorobada o yubarta *(Megaptera novaeangliae)*, la orca *(Orcinus orca)*, el delfín moteado tropical *(Stenella attenuata)* y el delfín mular *(Tursiops truncatus)*. En las aguas del parque y zonas adyacentes se ha observado la presencia ocasional de 19 especies adicionales de cetáceos que se encuentran en el Pacífico panameño. En la isla de Coiba, utilizada durante muchos años como refugio de piratas se han encontrado restos precolombinos que datan de unos 500 años antes de nuestra era.

• *Bosque primario*
• *Primary forest*

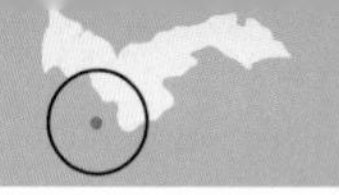

• Garzas y limícolos • Herons and waders

coral reef of over 135 hectares, the second largest in the central-eastern Pacific and the largest in the whole Central American region. To date, 69 species of marine fish, 12 echinoderms, 45 molluscs and 13 crustaceans have been identified in the protected area. The seas of Coiba, traditionally known for their abundant fish stocks contain species like the whale shark *(Rhincodon typus)*, tiger shark *(Galeocerdo cuvier)*, manta *(Manta birostris)*, dolphin fish *(Coriphaena hippurus)* and yellow-fin tuna *(Thunnus albacahes)*.
The seas of Coiba are also the habitat of four species of cetaceans: the huge humpbacked whale *(Megaptera novaeangliae)*, orca *(Orcinus orca)*, pan-tropical dolphin *(Stenella attenuata)* and bottlenose dolphin *(Tursiops truncatus)*. In the park's waters and surrounding area, there have been occasional records of 19 other cetacean species from the Pacific coast of Panama. On Coiba Island, used for many years as a hideaway for pirates, pre-Columbian remains dating from around 500 AD have been found.

• • • PRACTICAL INFORMATION • • •

◆ **LOCATION:** THE PARK IS located in Veraguas Province, 50 minutes by charter plane from Panama City.
◆ **ACCESS:** A LANDING strip on Coiba Island provides access by air. To reach the park by road from Panama City, you can go as far as Puerto Mutis (about 4 hours) and from there take a two-to six-hour boat ride to the archipelago.
◆ **FACILITIES:** THERE IS A biological station in the north-eastern part of Coiba Island. There are two viewing points, Cerro Santa Cruz and Cerro La Torre, and a seaside path leading to Boca Grande estuary.
◆ **ACCOMMODATION:** AVAILABLE IN the biological station subject to prior reservation with ANAM.
◆ **USEFUL ADDRESSES:** FOR FURTHER information, contact the regional headquarters of ANAM in Veraguas (telephone (507) 998-4271; fax (507) 998-0615) or the national park offices (507) 998-4271.

• PARQUE NACIONAL MARINO GOLFO DE CHIRIQUÍ •

• *Pez gobio y anémona de mar* • *Goby fish and sea anemone*

EL PARQUE Nacional Marino Golfo de Chiriquí, creado en 1994, comprende 14.740 hectáreas de islas y aguas marinas en el Pacífico occidental panameño, sobre el golfo del mismo nombre, al sur de los extensos manglares de la bahía de los Muertos. El área protegida es conocida como el archipiélago de las islas Páridas y en él se incluyen las islas Parida (la mayor de todas) y Paridita, las únicas habitadas de todo el archipiélago, ya que contienen fuentes con agua abundante. Otras islas protegidas son Santa Catalina, Pulgoso, Gámez, Tintorera, Obispo, Obispone, Los Pargos, Ahogado, Icacos, Corral de

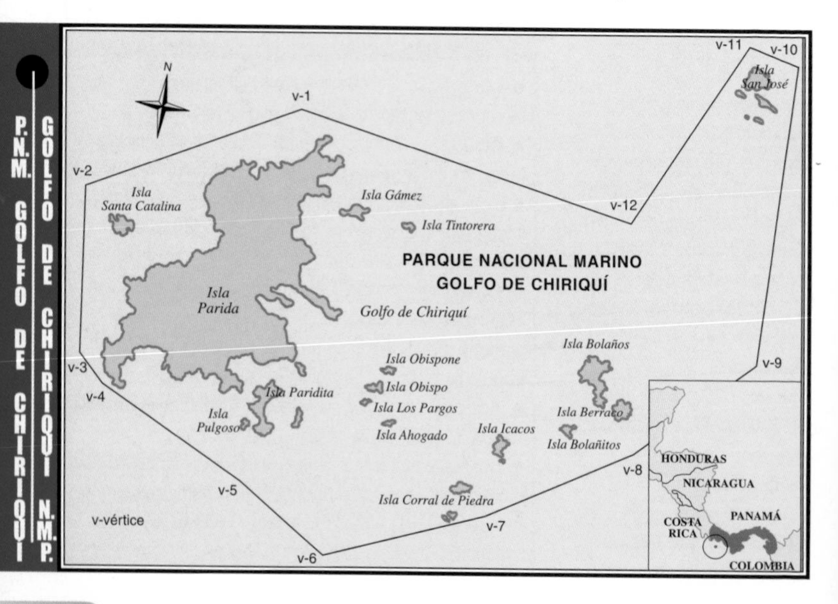

• GOLFO DE CHIRIQUÍ NATIONAL MARINE PARK •

Golfo de Chiriquí National Marine Park was set up in 1994. It covers 14,740 hectares of islands and marine waters in the western Pacific of Panama on the gulf of the same name to the south of the extensive mangrove swamps of Bahía de los Muertos (Muertos Bay). The protected area is known as the Paridas Islands Archipelago and includes the Parida Island (the largest of all) and Paridita, the only inhabited islands on the whole archipelago (due to the fact they have water sources). Other protected islands are Santa Catalina, Pulgoso, Gámez,

• *Pez ángel rey* • *King angel fish*

• *Palma de coco* • *Coconut palm*

• *Huevos de tortuga baula* • *Leatherback turtle eggs*

Piedra, Bolaños, Berraco, Bolañitos, San José, Linarte, Saíno, Sainitos, Iglesia Mayor, Carey Macho y Carey Hembra.

La orografía de estas islas se caracteriza por estar formada por pequeños cerros y colinas de roca sedimentaria que no sobrepasan los 100 metros de altitud sobre el nivel del mar y por la presencia de abundantes planicies litorales.

Un clima tropical de sabana con temperaturas medias anuales superiores a los 27°C y una pluviosidad media anual entre los 2.000 mm y los 2.500 mm permite el desarrollo de los bosques húmedos tropicales en las diferentes islas en los que dominan el maría *(Calophyllum longifolium)*, el roble *(Tabebuia rosea)*, el cedro espino *(Bombacopsis quinatum)*, el cedro amargo *(Cedrela odorata)*, el espavé *(Anacardium excelsum)* y el corotú *(Enterolobium cyclocarpum)*.

En las numerosas y extensas playas insulares donde habitualmente nidifican las amenazadas tortugas marinas, en especial la baula *(Dermochelys coriacea)* y la carey *(Eretmochelys imbricata)* crecen las palmas de coco

• *Iguana* • *Iguana*

• *Tortuga baula* • *Leatherback turtle*

• • • PRACTICAL INFORMATION • • •

◆ **LOCATION:** THE PARK IS located in Chiriquí Province, 480 kilometers by road from Panama City.

◆ **ACCESS:** ALTHOUGH ACCESS is difficult, the park can be reached by road via the town of Horconcitos in Chiriquí Province.

◆ **FACILITIES:** THERE IS AN administrative center and a refuge, but in general there are few facilities.

◆ **ACCOMMODATION:** AVAILABLE IN David City.

◆ **USEFUL ADDRESSES:** FOR FURTHER information, contact the regional headquarters of ANAM in Chiriquí (telephone (507) 774-6671; fax (507) 775-3163) or the park offices (507) 774-6671.

Tintorera, Obispo, Obispone, Los Pargos, Ahogado, Icacos, Corral de Piedra, Bolaños, Berraco, Bolañitos, San José, Linarte, Saíno, Sainitos, Iglesia Mayor, Carey Macho and Carey Hembra.
The main features of the islands' landscape are the small hills of sedimentary rock not more than 100 meters above sea level and lots of coastal plains.
A tropical savannah climate, with average annual

• G. Blenius

(*Cocos nucifera*) y el manzanillo de playa (*Hippomane mancinella*).
El reptil más abundante es la iguana verde (*Iguana iguana*), en particular en la isla Bolaños, y el anfibio más común la ranita verde y negra (*Dendrobates auratus*). En los manglares de las islas Parida y Paridita es fácil observar la presencia de la garza tigre (*Tigrisoma mexicanum*) y de la abundante reinita manglera (*Dendroica petechia erithachorides*). Volando de isla a isla es frecuente ver a las torcazas (*Columba cayennensis*), a los loros frentirrojos (*Amazona autumnalis*), a los pericos carisucios (*Aratinga pertinax*) y a los pericos barbinaranjas (*Brotogeris jugularis*). En las islas mayores se han censado grupos de monos aulladores (*Alouatta palliata*), mapaches (*Procyon lotor*) y conejos pintados (*Agouti paca*).
La riqueza del mar que rodea al archipiélago con sus arrecifes de coral y sus praderas marinas es lo más significativo del parque nacional. En los arrecifes se encuentran algunas formaciones del coral *Porites lobata* y del hidrozoo conocido como coral de fuego (*Millepora intricata*) y en ellos viven especies tan espectaculares de peces como el ángel rey (*Holocanthus passer*), el loro bicolor (*Scarus subroviolaceus*), el tiburón punta blanca (*Trienodon obesus*)…

••• INFORMACIONES PRÁCTICAS •••

◆ **LOCALIZACIÓN:** EL PARQUE SE encuentra situado en la provincia de Chiriquí y dista 480 kilómetros por carretera desde la ciudad de Panamá.
◆ **ACCESOS:** EL PARQUE ES de difícil acceso y por carretera puede alcanzarse el área protegida, ya en la provincia de Chiriquí, por la población de Horconcitos.
◆ **SERVICIOS:** EXISTE UNA sede administrativa y un refugio pero las facilidades son muy escasas.
◆ **ALOJAMIENTO:** EN LA CERCANA ciudad de David.
◆ **DIRECCIONES DE INTERÉS:** PARA CUALQUIER información dirigirse a la sede regional del ANAM en Chiriquí. Tel.: (507) 774-6671; fax: (507) 775-3163, o a las oficinas del parque. Tel.: (507) 774-6671.

• *Manglar* • *Mangrove swamp*

temperatures over 27°C and average annual rainfall between 2,000 mm and 2,500 mm, allows the growth of moist tropical forests on the different islands. Santa María trees *(Calophyllum longifolium)*, oak *(Tabebuia rosea)*, spiny cedar *(Bombacopsis quinatum)*, 'cedro amargo' *(Cedrela odorata)*, 'espavé' *(Anacardium excelsum)* and 'corotú' *(Enterolobium cyclocarpum)* are predominant in these forests.

Coconut palms *(Cocos nucifera)* and manchineel *(Hippomane mancinella)* grow on the many extensive island beaches, on which threatened sea turtles commonly nest, in particular the leatherback turtle *(Dermochelys coriacea)* and hawksbill turtle *(Eretmochelys imbricata)*. The most common reptile, especially on Bolaños Island, is the iguana *Iguana iguana*, and the most common amphibian is the frog *Dendrobates auratus*.

In the mangrove swamps of Parida and the Paridita Islands, it is easy to spot the tiger heron *(Tigrisoma mexicanum)* and the abundant yellow warbler *(Dendroica petechia erithachorides)*, Pale-vented pigeons *(Columba cayennensis)*, red-lored amazons *(Amazona autumnalis)*, brown-throated parakeets *(Aratinga pertinax)* and orange-chinned parakeets *(Brotogeris jugularis)* can often be seen flying from one island to another. On the larger islands, groups of howler monkeys *(Alouatta palliata)*, raccoons *(Procyon lotor)* and pacas *(Agouti paca)* have been recorded.

The richness of the seas around the archipelago, with coral reefs and marine meadows, is the national park's most significant feature. On the reefs there are some coral formations *(Porites lobata)* and the hydrozoa known as fire coral *(Millepora intricata)*. It is the home of such spectacular fish species as the angel kingfish *(Holocanthus passer)*, bicolor parrotfish *(Scarus subroviolaceus)*, white-tipped shark *(Trienodon obesus), etc.*

• *Gallinazo negro* • *Black vulture*

• PARQUE NACIONAL MARINO ISLA BASTIMENTOS •

• Isla Colón • Colon Island

CON UNA extensión de 13.226 hectáreas, de las que 11.596 son marinas, el Parque Nacional Marino Isla Bastimentos fue creado en el año 1988. Se localiza en el extenso archipiélago de Bocas del Toro, en la provincia del mismo nombre. En el norte del área protegida, el mar Caribe choca impetuoso contra la costa rocosa de la isla Bastimentos y de playa Larga, un lugar muy importante para la nidificación de las tortugas marinas. En la costa sur de la isla se localiza la apacible laguna del Almirante, con sus numerosos canales que serpentean entre los islotes de manglar, rodeados de corales y de fondos arenosos cubiertos por praderas de hierbas marinas *(Thalassia testudinum)*. El parque conserva la mayor extensión de manglares caribeños del país, así como los arrecifes de coral mejor conservados de dicho litoral, dominados por el mangle rojo *(Rhizophora mangle)* y el mangle blanco *(Laguncularia racemosa)*. En el interior de la isla Bastimentos se encuentra la única laguna de agua dulce conocida en un área insular de Panamá donde se localizan numerosas tortugas de agua dulce *(Trachemis scripta)*, babillos *(Caiman crocodylus)* y cocodrilos *(Crocodylus acutus)*.

• G. Heliconia

• ISLA BASTIMENTOS NATIONAL MARINE PARK •

• *Manglar* • *Mangrove swamp*

COVERING 13,226 hectares, of which 11,596 hectares are part of a marine area, Isla Bastimentos National Marine Park was set up in 1988. It lies in the vast archipelago of Bocas del Toro in the province of the same name. In the north of the protected area, the Caribbean Sea crashes impetuously against the rocky coastline of Bastimentos Island and Larga Beach, a very important place for nesting marine turtles. On the south coast of the island, there is peaceful Almirante Lagoon with its many channels winding among the mangrove islets, surrounded by corals and sandy shallows covered in meadows of sea grass *(Thalassia testudinum)*. The park has the largest area of Caribbean mangrove swamp in the country, as well as the best conserved coral reefs on that coast, where the so-called red mangrove *(Rhizophora mangle)* and white mangrove *(Laguncularia*

• *Tortuga carey* • *Hawksbill*

• Cayo Zapatilla • Zapatilla Key

• Cinturita • 'Cinturita'

Los cayos Zapatillas, en el extremo noreste del parque, están formados por dos islas de 34 y 14 hectáreas respectivamente rodeados de espectaculares playas de arena blanca y de arrecifes de coral que ocupan unas 500 hectáreas de extensión. Las numerosas especies de corales, la riqueza de peces y la variedad de sus invertebrados marinos convierten a este parque nacional en uno de los más singulares del Caribe.

La isla Bastimentos, con unas temperaturas anuales medias de 26°C y precipitaciones medias de 3.000 mm permiten el desarrollo de densos bosques húmedos tropicales en los que se han registrado más de 300 plantas vasculares dominadas por el cedro bateo *(Carapa guianensis)*, el níspero *(Manilkara zapota)*, el mayo blanco *(Vochysia hondurensis)*, el roble *(Tabebuia rosea)* y el

••• INFORMACIONES PRÁCTICAS •••

◆ **LOCALIZACIÓN:** EL PARQUE SE encuentra situado en la provincia de Bocas del Toro y dista una hora de avión desde la ciudad de Panamá.

◆ **ACCESOS:** AL PARQUE SE accede fácilmente en bote desde la ciudad de Bocas del Toro, que recibe vuelos diarios desde la ciudad de Panamá. Por carretera se puede acceder a la provincia de Chiriquí hasta la población de Chiriquí Grande, donde se toma un transbordador hasta Bocas del Toro en la isla Colón.

◆ **SERVICIOS:** EL PARQUE posee una sede administrativa en Bocas del Toro. En Cayo Zapatilla posee un refugio, un área de acampada y un sendero interpretativo.

◆ **ALOJAMIENTO:** EN BOCAS DEL TORO, en la isla Colón, existe una amplia variedad de alojamiento.

◆ **DIRECCIONES DE INTERÉS:** PARA CUALQUIER información dirigirse a la sede regional del ANAM en Bocas del Toro. Tel.: (507) 758-8967; fax: (507) 758-6603, o a las oficinas del parque nacional. Tel.: (507) 757-9244.

• *Isla Bastimentos* • *Bastimentos Island*

racemosa) are predominant. In the interior of Bastimentos Island, there is the only known freshwater insular lagoon in Panama. Many freshwater turtles *(Trachemis scripta)*, caimans *(Caiman crocodylus)* and crocodiles *(Crocodylus acutus)* are found there.
The Zapatillas Keys, at the north-east end of the park, are made up of two islands of 34 and 14 hectares surrounded by spectacular white sand beaches and coral reefs of about 500 hectares. The many coral

• Playa Isla Colón • Colon Island Beach

amarillo *(Terminalia amazonica)*.
De las 28 especies de reptiles y anfibios que viven en el parque 17 se encuentran amenazadas o en vías de extinción. En sus playas nidifican cuatro de las amenazadas tortugas marinas, entre ellas la tortuga carey *(Eretmochelys imbricata)*. En los manglares es fácil observar a la reinita amarilla *(Dendroica petechia)* y en los bosques a la rana venenosa *(Dendrobates pumilio)*. Se han censado 68 especies de aves. Algunas son marinas, como las tijeretas *(Fregata magnificens)* o las gaviotas reidoras *(Larus atricilla)*. La mayoría viven en los bosques del parque, como el campanero tricarunculado *(Procnias tricarunculata)*, la ninfa coronada *(Thalurania colombica)*, el bello colibrí barbita colibandeada *(Threnetes ruckeri)*, el loro frentirrojo *(Amazona autumnalis)* y la cazanga o loro frentiazul *(Amazona menstruus)*.
32 especies de mamíferos viven en el área protegida, con 13 especies de murciélagos, entre ellos el murciélago pescador *(Noctilio leporinus)*. En el estrato forestal junto a los monos cariblancos *(Cebus capucinus)* y los monos nocturnos o jujanás *(Aotus trivirgatus)* existen numerosos perezosos de dos dedos *(Choloepus hoffmani)* y perezosos de tres dedos *(Bradypus variegatus)*. También son abundantes los conejos pintados *(Agouti paca)*.

• Cangrejo del manglar
• Mangrove crab

species, wealth of fish and variety of marine invertebrates make this one of the most exceptional parks in the Caribbean. With average annual temperatures of 26°C and average precipitation of 3,000 mm, conditions are right on Bastimentos Island for the growth of dense moist tropical forests. Over 300 vascular plants have been recorded in some of them, with crabwood *(Carapa guianensis)*, 'níspero' *(Manilkara zapota)*, guaruba *(Vochysia hondurensis)*, oak *(Tabebuia rosea)* and yellow tree *(Terminalia amazonica)* predominant.

Of the 28 species of reptiles and amphibians living in the park, 17 are threatened or endangered. Four of the threatened turtle species, including the hawksbill *(Eretmochelys imbricata)* nest on the park's beaches. In the mangrove swamps, it is easy to spot the yellow warbler *(Dendroica petechia)*, and, in the forests, the poisonous frog *Dendrobates pumilio*.

Of the 68 recorded bird species, some are seabirds such as frigate birds *(Fregata magnificens)* and laughing gulls *(Larus atricilla)*.

• *Arrecife de coral* • *Coral reef*

However, most live in the park's forests, such as the three-wattled bellbird *(Procnias tricarunculata)*, crowned woodnymph *(Thalurania colombica)*, beautiful band-tailed barbthroat *(Threnetes ruckeri)*, red-lored amazon *(Amazona autumnalis)* and blue-headed parrot *(Amazona menstruus)*.

32 mammal species live in the protected area, including 13 bat species, for example, the bulldog bat *(Noctilio leporinus)*. In the forest canopy, alongside the capuchin *(Cebus capucinus)* and the night monkey *(Aotus trivirgatus)* there are many two-toed sloths *(Choloepus hoffmani)* and three-toed sloths *(Bradypus variegatus)*. There are also lots of pacas *(Agouti paca)*.

• • • PRACTICAL INFORMATION • • •

◆ **LOCATION:** THE PARK LIES in the province of Bocas del Toro, one hour by plane from Panama City.

◆ **ACCESS:** THERE IS EASY access to the park by boat from the city of Bocas del Toro, to which there are daily flights from Panama City. It is possible to get to Chiriquí Province by road as far as the town of Chiriquí Grande, where a ferry connects with Bocas del Toro on Colón Island.

◆ **FACILITIES:** THE PARK HAS administrative headquarters in Bocas del Toro. In Cayo Zapatilla (Zapatilla Key) there is a refuge, camping site and nature trail.

◆ **ACCOMMODATION:** A WIDE RANGE of accommodation is available in Bocas del Toro on Colón Island.

◆ **USEFUL ADDRESSES:** FOR FURTHER information, contact the regional headquarters of ANAM in Bocas del Toro (telephone (507) 758-8967; fax (507) 758-6603) or the national park offices (507) 757-9244.

• PARQUE NACIONAL PORTOBELO •

• Costa de Portobelo • Portobelo coast

El Parque Nacional Portobelo, con 35.929 hectáreas situadas en la provincia de Colón fue creado en el año 1976. En su interior se encuentra uno de los puertos naturales más bellos de todo el Caribe, la bahía de Portobelo, bautizada así por Cristóbal Colón en el año 1502, en su cuarto y último viaje al Nuevo Mundo. Las fortificaciones que se conservan rodeando la ensenada fueron declaradas por la UNESCO en el año 1980 Sitio del Patrimonio Mundial.

La topografía del parque es muy complicada. Su punto más alto es Cerro Bruja, con 979 metros de altitud, situado en la divisoria de aguas continentales. En su interior se encuentran la sierra Llorona, denominada así por la cantidad de agua que recibe, los cerros de Pan de Azúcar y Palmas y una estrecha franja montañosa dentro del límite norte de la cuenca del Canal de Panamá. La precipitación media anual es de 4.800 mm y la temperatura media anual oscila entre los 27°C de sus costas y tierras bajas, hasta los 24°C en sus zonas más altas. Esto permite el desarrollo de bosques pluviales premontanos, bosques muy húmedos tropicales, muy húmedos premontanos y bosques húmedos tropicales. El parque nacional protege la cabecera y cuencas hidrográficas de los ríos más importantes de la región como el Cascajal, el Guanche, el Piedras, el Iguana, el Iguanita y el Brazuelo.

En los 70 kilómetros de bellísimo litoral comprendido entre la bahía de San Cristóbal, al norte, y

• PORTOBELO NATIONAL PARK •

• Batería baja de San Fernando • San Fernando lower battery

PORTOBELO National Park, covering 35,929 hectares in Colón Province, was set up in 1976. In the interior of the park lies Portobelo Bay, one of the most beautiful natural ports in the whole of the Caribbean. It was given its name by Christopher Columbus in 1502 on his fourth and last voyage to the New World. The fortifications that are preserved around the estuary were declared a World Heritage Site by UNESCO in 1980.

The park's topography is very complex. Its highest point is the 979-meter Cerro Bruja, located on the continental watershed. In the interior is Sierra Llorona, the name of which

• Gallinazo negro • Black vulture

• Batería de Santiago • Santiago battery

la bahía de Buenaventura, al sur, se desarrollan importantes extensiones de arrecifes de coral, bosques de manglares, lagunas costeras y playas de un gran valor paisajístico, en donde nidifican cada año cuatro especies de tortugas marinas, entre ellas la amenazada tortuga carey *(Eretmochelys imbricata)*. En la costa es fácil observar al águila pescadora *(Pandion haliaetus)*, al gavilán cangrejero *(Buteogallus anthracinus)* y a la garza tigre barreteada *(Tigrisoma fasciatum)*.
La iguana verde *(Iguana iguana)* es abundante en el área protegida. Entre las aves hay que destacar la presencia del más grande martín pescador del Istmo *(Ceryle torquata)*, del elanio plomizo *(Ictinia plumbea)* y del gavilán negro mayor *(Buteogallus urubitinga)*. En las costas, en particular en el manglar, es abundante el gato mangletero o mapache *(Procyon cancrivorus)*, mientras que en los ríos se refugia el gato de agua o nutria *(Lontra longicaudis)* y en los bosques más remotos del área protegida se observan los grupos de monos cariblancos *(Cebus capucinus)*.

• Fuerte de San Fernando
• San Fernando Fort

El parque nacional destaca por sus valores históricos y culturales. La ciudad de San Felipe de Portobelo, que da nombre al área protegida, fue fundada el 20 de mayo de 1597 por D. Francisco Valverde y Mercado.
A mediados del siglo XVII alcanzó su máximo esplendor al convertirse en el lugar en el que se concentraban todas las riquezas, que procedentes del Perú y de otros países sudamericanos llegaban por tierra desde la ciudad de Panamá a través del Camino de Cruces.
Se construyeron magníficas fortificaciones para proteger la entrada del puerto y la ciudad de los ataques de piratas y corsarios. El fuerte de San Fernando, La

• • • PRACTICAL INFORMATION • • •

◆ **LOCATION:** THE PARK IS situated in the province of Colón, 125 kilometers by road from Panama City.
◆ **ACCESS:** PORTOBELO CAN be reached by road from Panama City (the trip takes about two hours) or from the city of Colón about forty five minutes away.
◆ **FACILITIES:** THE PARK'S administrative headquarters are in Nuevo Tonosí. In Portobelo's former Customs House (Casa de Aduanas), bilingual guides can be hired for a tour of the fortifications of this World Heritage Site.
◆ **ACCOMMODATION:** IN PANAMA CITY and Colón City, there is a wide variety of accomodation available.
◆ **USEFUL ADDRESSES:** FOR FURTHER information, contact the regional headquarters of ANAM in Colón (telephone (507) 441-7285; fax (507) 441-9148) or the national park offices (telephone (507) 441-9282).

in Spanish refers to the great amount of water there. There are also two hills called Cerro Pan de Azúcar and Cerro Palmas and a narrow mountainous strip within the northern boundary of the Panama Canal Basin.
Average annual precipitation is 4,800 mm and average annual temperature oscillates from 27°C on the coasts and lowlands to 24°C in the highest parts. These conditions provide good growing conditions for premontane rainforests, very moist tropical forests, very moist premontane forests and moist tropical forests. The national park protects the headwaters and hydrographic basins of the most important rivers in the region: the Cascajal, Guanche, Piedras, Iguana, Iguanita and Brazuelo.
Along the 70 kilometers of incredibly beautiful coastline between San Cristóbal Bay to the North and Buenaventura Bay to the South, there are important stretches of coral reefs, mangrove swamp, coastal lagoons and beautiful beaches, where every year four species of marine turtle, including the threatened hawksbill *(Eretmochelys imbricata)*, come to nest. On the coast, it is easy to catch sight of osprey *(Pandion haliaetus)*, common black hawk *(Buteogallus anthracinus)* and fasciated tiger heron *(Tigrisoma fasciatum)*.
The iguana *(Iguana iguana)* is found in large numbers in the protected area. Among the most interesting birds are the largest kingfisher on the Isthmus of Panama, *Ceryle torquata*, the plumbeous kite *(Ictinia plumbea)* and the great black hawk *(Buteogallus urubitinga)*.
On the coasts, particularly in the mangrove swamps, there are lots of crab-eating raccoons *(Procyon cancrivorus)*. In the rivers, otters *(Lontra longicaudis)* can be found, and in the most remote forests of the protected area groups of white-throated capuchin

• Bahía de Portobelo
• Portobelo Bay

• Iglesia colonial • Colonial church

• *Fuerte de San Jerónimo* • *San Jerónimo Fort*

Trinchera, el fuerte de Santiago y el castillo de San Felipe del Morro se conservan en el Conjunto Monumental Histórico de Portobelo. La antigua Casa de Aduanas, una de las principales edificaciones coloniales, ha sido recientemente restaurada con la colaboración del Gobierno español.

Las famosas ferias de Portobelo hicieron de esta ciudad la perla del Caribe colonial durante casi doscientos años. Allí coincidían los comerciantes del nuevo y viejo mundo para realizar sus ventas y transacciones. Punto de mira de los corsarios ingleses, la ciudad, tras sufrir diversos acechos fue saqueada en 1668 por Henry Morgan. El corsario Francis Drake fue arrojado al mar tras su muerte, a un costado del denominado Peñón de Drake, frente a las costas de Portobelo en 1596.

• • • INFORMACIONES PRÁCTICAS • • •

◆ **LOCALIZACIÓN:** EL PARQUE SE encuentra situado en la provincia de Colón y dista 125 kilómetros por carretera desde la ciudad de Panamá.

◆ **ACCESOS:** A PORTOBELO SE accede fácilmente por carretera desde la ciudad de Panamá (el viaje dura unas dos horas), o desde la ciudad de Colón, situada a unos cuarenta y cinco minutos.

◆ **SERVICIOS:** EL PARQUE POSEE una sede administrativa en Nuevo Tonosí. En la antigua Casa de Aduanas de Portobelo se pueden contratar guías bilingües para recorrer las fortificaciones de este sitio del Patrimonio Mundial.

◆ **ALOJAMIENTO:** LAS CIUDADES DE Panamá y Colón ofrecen una amplia variedad de alojamiento.

◆ **DIRECCIONES DE INTERÉS:** PARA CUALQUIER información dirigirse a la sede regional del ANAM en Colón. Tel.: (507) 441-7285; fax: (507) 441-9148, o a las oficinas del parque nacional. Tel.: (507) 441-9282.

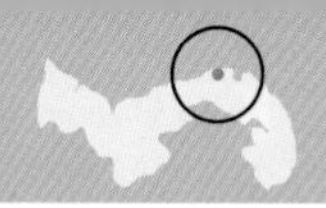

(Cebus capucinus) can be seen.

The national park has outstanding historical and cultural assets. The city of San Felipe de Portobelo, after which the protected area is named, was founded on May 20th 1597 by D. Francisco Valverde y Mercado. It reached its high point in the middle of the seventeenth century when it became the place where all the riches from Peru and other South American countries arrived overland from the City of Panama via the Cruces Road (Camino de Cruces).

Magnificent fortifications were built to protect the port entrance and the city from attack by pirates and corsairs. The San Fernando Fort, La Trinchera, the Santiago Fort and San Felipe del Morro Castle have been preserved as a discrete series of listed buildings that has been declared a World Heritage Site. The former Customs House (Casa de Aduanas), one of the main colonial buildings, was recently restored with the help of Spanish Government.

The famous Portobelo fairs made this city the pearl of the colonial Caribbean for almost two hundred years. Traders from the Old and New Worlds came together there to sell their wares and carry out their business.

The target of English corsairs, after several reconnaissance raids, the city was sacked by Henry Morgan in 1668.

In 1596, the corsair Francis Drake was thrown into the sea after his death a stone's throw from the so-called Drake's Rock (Peñón de Drake) off the Portobelo coast.

• Tucancillo collarejo • Collared aracari

• Cañón • Canyon

• PARQUE NACIONAL DARIÉN •

• Tachuelo • Prickly yellow tree

El Parque Nacional Darién, con 579.000 hectáreas, fue creado en el año 1980. Es el mayor parque nacional no sólo de Panamá sino también de toda Centroamérica y se localiza al sudeste del país, extendiéndose prácticamente todo a lo largo de la frontera con Colombia. Por su importancia internacional fue declarado por la UNESCO Sitio del Patrimonio Mundial en 1981 y Reserva de la Biosfera en 1982.

El área protegida se alza desde las costas del Pacífico con playas, manglares y lagunas litorales hasta los bosques pluviales premontanos de la cima del cerro Tacarcuna, que con 1.845 metros de altitud es el punto más alto del parque nacional, situado en la divisoria continental de la Serranía del Darién, a escasos kilómetros del Caribe, en el extremo noreste del país. Entre ambos extremos un impresionante manto forestal de bosques húmedos tropicales y bosques muy húmedos tropicales atravesados por una importante red hidrográfica definen su paisaje.

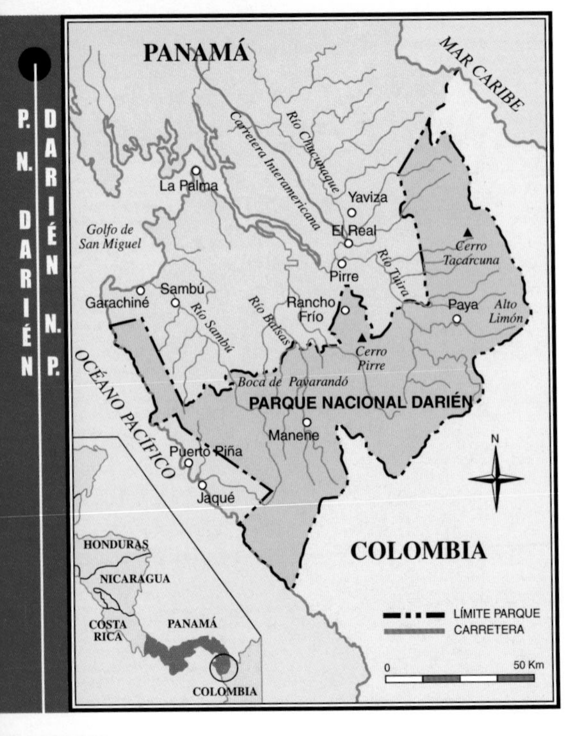

Las principales cordilleras y serranías del parque son de origen volcánico y todavía pueden observarse las tobas y lavas que manifiestan su convulsivo pasado. La serranía del Darién al norte, las de Pirre y Setule en su parte meridional y la serranía del Sapo y la cordillera de Juradó en el sur, son sus rasgos morfológicos más significativos. En el parque nacen los más importantes ríos de la región, entre ellos los ríos Tuira, Balsas, Sambú y Jaque.

Valles enteros de bosques húmedos y muy húmedos tropicales caracterizan el paisaje. El ya de por sí alto dosel forestal se ve superado por enormes ejemplares de cuipos (*Cavanillesia platanifolia*) que

• DARIÉN NATIONAL PARK •

• Selva de Cana • Cana jungle

Darién National Park, which covers 579,000 hectares of land, was established in 1980. It is the largest national park, not only in Panama, but also in all Central America, and lies in the Southeast of the country, extending along virtually the whole of the border with Colombia. Given its international importance, it was declared a UNESCO World Heritage Site in 1981 and a Biosphere Reserve in 1982.

The protected area rises from the beaches, mangrove swamps and coastal lagoons of the Pacific coastline to the premontane rainforests at the top of Cerro Tacarcuna, At 1,845 meters, Cerro Tacarcuna is the highest point in the national park, located on the continental watershed of the Serranía del Darién (Darién River Mountain Range), a few kilometers from the Caribbean at the north-eastern end of the country. Stretching from one end to another there is an impressive mantle of moist and very moist tropical forests, crossed by a large network of rivers and streams.

The main large and small mountain ranges in the park are of volcanic origin, and tors and lava that are testimony to its agitated past are still to be seen. The Serranía del Darién to the North, the Pirre and Setule ranges in the southern part and the Serranía del Sapo and Cordillera de Juradó in the

• Labios ardientes
• Burning lips

• Manglar • Mangrove swamp

florecen al final del verano en espectaculares tonos rojos y anaranjados, y de guayacanes *(Tabebuia guayacan)*, cuyas flores de un color amarillo intenso anuncian la llegada de las lluvias. En estas selvas en las que abundan las plantas epífitas, las bromelias y las orquídeas existen más de 40 endemismos botánicos como la escalera de mono *(Bauhinia* spp.) y el bejuco de agua

• Indígenas Emberá • Emberá precolumbian-native group

(Doliocarpus olivaceus).
Su estratégica situación geográfica le convierten en un lugar de paso y de encuentro entre la fauna de América del Norte y América del Sur. Los endemismos de invertebrados y vertebrados son muy abundantes. Existen 7 mamíferos que sólo se encuentran aquí, como el arador darienita *(Orthogeomys dariensis)* y la zorra de cuatro ojos *(Marmosops invictus)*. De las más de 450 especies de aves censadas cinco son endémicas de la región, como el subepalo bello *(Margarornis bellulus)* y la tángara nuquiverde *(Tangara fucosa)*.

• • • INFORMACIONES PRÁCTICAS • • •

◆ **LOCALIZACIÓN:** EL PARQUE SE encuentra situado en el extremo oriental del país, en la provincia de Darién, lindando con un 90% de la frontera panameña-colombiana, y dista 325 kilómetros por carretera de la ciudad de Panamá.

◆ **ACCESOS:** SE PUEDE LLEGAR por carretera hasta la población de Yaviza y desde ésta acceder por bote hasta El Real de Santa María. En la Estación Científica Cana existe una pista de aterrizaje para avionetas.

◆ **SERVICIOS:** EN EL REAL de Santa María se encuentra la sede administrativa del parque. Existen tres estaciones científicas además de la de Cana. La de Cerro Pirre, situada a 14 kilómetros de El Real, a la que se accede a pie durante la estación seca y en piragua y a pie en la época de lluvias. La Estación de Cruce de Mono en las faldas del Cerro de Pirre, a la que se accede con piragua (2 o 3 horas) hasta la población de Boca de Cupe y desde allí se caminan 5 horas hasta la Estación. Por último la Estación de Balsas, localizada en la confluencia de los ríos Balsas y Tucutí y cuyo trayecto en piragua dura unas 4 horas.

◆ **ALOJAMIENTO:** EN LA POBLACIÓN de El Real de Santa María y en las estaciones científicas.

◆ **DIRECCIONES DE INTERÉS:** PARA CUALQUIER información dirigirse a la sede regional del ANAM en Darién o a las oficinas del parque. Tel.: (507) 299-6373. Para el Centro Ambiental y Estación Científica de Cana dirigirse a ANCON. Tel.: (507) 264-8100.

South are its most significant morphological features. The region's most important rivers, such as the Tuira, Balsas, Sambú and Jaque, rise in the park.

The main landscape features are the entire valleys of moist and very moist tropical forests. The forest canopy, in itself very high, is overlooked by enormous specimens of cuipos *(Cavanillesia platanifolia)*, which flower at the end of summer in spectacular red and orangey hues, as well as guayacan *(Tabebuia guayacan)*, whose bright yellow flowers herald the coming of the rains. In these jungles, where epiphytes, bromeliads and

• *Ceiba* • *Silk cotton tree*

• *Guacamaya verde*
• *Green macaw*

orchids abound, there are over 40 botanical endemisms, such as the 'escalera de mono' *(Bauhinia* spp.) and the 'bejuco de agua' *(Doliocarpus olivaceus)*.

Its strategic geographical situation makes it a stopping place for wildlife from North and South America. There are many invertebrate and vertebrate endemisms. Seven mammals, including the giant pocket gopher *(Orthogeomys dariensis)* and the fox *(Marmosops invictus)* are only found here. Of the more than 450 recorded bird species, 5 are endemic to the region, including the treerunner *(Margarornis bellulus)* and the green-naped tanager *(Tangara fucosa)*.

In Darién, there are viable populations of over 56 species that are threatened or endangered in the rest of America. They include the harpy eagle *(Harpia harpyja)* (the largest population in the world occurs here), the shy tapir *(Tapirus bairdii)* and the five cat species: jaguar *(Panthera*

• *Águila harpía* • *Harpy eagle*

• *Selva en la estación seca* • *Forest in dry season*

Más de 56 especies amenazadas o en peligro de extinción en el resto del continente poseen poblaciones viables en el Darién. Entre ellas el águila harpía *(Harpia harpyja)*, que reúne aquí su más importante población a escala mundial, o el arisco tapir *(Tapirus bairdii)*, o las cinco especies de felinos: el jaguar *(Panthera onca)*, el puma *(Felis concolor)*, el manigordo *(Felis pardalis)*, el tigrillo *(Felis wiedii)* y el tigrillo congo *(Felis yagouaroundi)*. Tres grupos indígenas precolombinos habitan en Darién: los Kunas, que mantienen poblaciones tradicionales en los poblados de Paya y Púculu, al pie de la montaña sagrada Cerro Tarcuna; los Emberá, habitantes tradicionales ribereños del Chocó, y los Wounaan, muy cercanos lingüísticamente y culturalmente a los Emberá. Poblaciones afrodarienitas con sus bellas tradiciones han convivido durante siglos con los indígenas de la región creando un mosaico etno-cultural sin precedentes en toda Centroamérica.

• *Rana venenosa* • *Venomous toad*

Un lugar importante para la observación de aves es el Centro Ambiental y la Estación Científica Cana situados en el corazón del parque en lo que antes eran las famosas minas auríferas del Espíritu Santo o de Cana.

Numerosos senderos naturales e históricos se mantienen abiertos todo el año en esta área del parque nacional gerenciada por la Asociación Nacional para la Conservación de la Naturaleza (ANCON).

••• PRACTICAL INFORMATION •••

◆ **LOCATION:** THE PARK LIES at the eastern end of the country in Darién Province along 90% of the Panama-Colombian border and just 325 kilometers by road from Panama City.

◆ **ACCESS:** IT CAN BE reached by road as far as the town of Yaviza and from there by boat to El Real de Santa María. At Cana Scientific Station there is a landing strip for light aircraft.

◆ **FACILITIES:** THE PARK'S administrative headquarters are located in Real de Santa María. There are three scientific stations besides the one at Cana. The Cerro Pirre station, 14 kilometers from El Real, can be reached on foot in the dry season and by canoe in the rainy season. The Cruce de Mono Station in the foothills of Cerro de Pirre can be reached by canoe (2 or 3 hours) as far as the village of Boca de Cupe, and from there it is a five-hour walk to the station. The Balsas Station is situated at the confluence of the Rivers Balsas and Tucutí. The journey by canoe takes about 4 hours.

◆ **ACCOMMODATION:** IN REAL DE Santa María and the scientific stations.

◆ **USEFUL ADDRESSES:** FOR FURTHER information, contact the regional headquarters of ANAM in Darién or the park offices (telephone (507) 299-6373). For the Cana Environmental Center and Scientific Station (Centro Ambiental y Estación Científica de Cana), contact ANCON (telephone (507) 264-8100).

onca), puma *(Felis concolor)*, ocelot *(Felis pardalis)*, margay *(Felis wiedii)* and jaguarundi *(Felis yagouaroundi)*.

Three pre-Colombian native groups live in Darién: the Kunas, who have traditional villages in the towns of Paya and Púculu at the foot of the sacred mountain Cerro Tarcuna; the Emberá, traditional riverside inhabitants of the Choco, and the Wounaan, who are very close linguistically and culturally to the Emberá. Afro-Darien populations, with their wonderful traditions, have for centuries lived alongside the region's natives creating an ethno-cultural mosaic without precedent throughout Central America. The Cana Environmental Center and Scientific Station complex, located in the heart of the park in what was formerly the famous Espíritu Santo or Cana goldmines, is an important birdwatching site. Many natural and historic tracks are kept open all year round in this part of the national park, which is run by the National Association for Nature Conservation (Asociación Nacional para la Conservación de la Naturaleza or ANCON).

• *Selva* • *Jungle*

• *Orquídea* • *Orchid*

• ÍNDICE DE ESPECIES •
• LIST OF SPECIES •

Esta Guía se terminó de imprimir en Madrid
el día 15 de marzo de 2004,
en los talleres de Gráficas Jomagar, S.A.

This Guide was printed by
Gráficas Jomagar, S.A., in Madrid,
on March 15th 2004